Schröppel · Einsiedler

Falkenstein

Des Märchenkönigs
letzter Traum

Schloß Falkenstein

Pläne und Skizzen

Geschichte und Geschichten
der Burgruine Falkenstein Pfronten
von
Adolf und Annemarie Schröppel
und Manfred Einsiedler

Eberle Verlag, Pfronten

Impressum:

Herausgeber:	Gemeinde Pfronten
Texte:	Adolf und Annemarie Schröppel, Otto Reindl, Manfred Einsiedler
Bildauswahl, Layout:	Manfred Einsiedler, Gordian Eberle
Satz:	Reiner Schmid, Kempten
Produktion:	Holdenrieds Druck- und Verlags GmbH, Füssen
Verlag, Vertrieb:	Eberle Verlag, Pfronten

1. Auflage 1985
2. Auflage 1994

ISBN 3 – 925 407 – 02 – 2

Inhalt

Vorwort

Der Falkenstein hat in den letzten 900 Jahren eine reiche und wechselvolle Geschichte durchgemacht. Herausragend war dabei die lange Zeit seiner Bedeutung in wirtschaftlicher Hinsicht. So wurde von der Burg Falkenstein aus über Jahrhunderte zur Sicherung der Fernstraße nach Italien, eine der Hauptadern des Nord-Süd-Handels, beigetragen.

Vor hundert Jahren entschloß sich Bayerns König Ludwig II., der Erbauer von Linderhof, Neuschwanstein und Herrenchiemsee, auf dem Falkenstein sein viertes Märchenschloß zu errichten. Der Grundstein für das fast fertig geplante gotische Schloß sollte noch 1885 gelegt werden, doch wegen des jähen Todes des Monarchen kam es nicht mehr dazu. Der Weg auf den Falkenstein wurde aber noch zu Lebzeiten des Königs angelegt. Auf ihm wandern alljährlich Tausende von Erholungssuchenden, um von dort oben eine majestätische Aussicht in unser Ostallgäu und hinüber ins Nachbarland Tirol genießen zu können. Welchen Einfluß das geplante Schloß Ludwigs II. auf die Pfrontener Fremdenverkehrswirtschaft gehabt hätte, läßt sich erahnen, wenn man nach Schwangau hinüberblickt, wo allein in Neuschwanstein jährlich über eine Million Besucher gezählt werden.

Nur wenige, welche die Überreste der mittelalterlichen Ruine Falkenstein heute besichtigen, wissen von König Ludwigs Bauplänen. Selbst eingesessene Pfrontener werden auf den folgenden Seiten sicherlich manches lesen und sehen können, was ihnen bisher unbekannt war. Gerade deshalb wünsche ich dieser Schrift eine weite Verbreitung und viele aufmerksame Leser.

An dieser Stelle möchte ich all jenen danken, die zum Gelingen dieses Buches beigetragen haben: Den Eheleuten Annemarie und Adolf Schröppel, die einmal mehr mit der sie auszeichnenden Akribie den historischen Teil gestaltet haben. Dem Eberle Verlag für die Herausgabe, insbesondere für die wohlgelungene bildliche Darstellung des vorhandenen Fotomaterials. Herrn Museumsdirektor Dr. Albrecht Miller von der Bayer. Verwaltung der Staatl. Schlösser, Gärten und Seen für seine stets hilfreiche Unterstützung bei allen anstehenden Problemen. Dem Bayer. Hauptstaatsarchiv für die Überlassung der erwähnten und dargestellten Urkunden und letztlich, aber nicht weniger herzlich, Herrn Rektor a. D. Otto Reindl und Herrn Kurdirektor Manfred Einsiedler, denen die redaktionelle Leitung oblag.

Pfronten, im Juli 1985

Franz Berktold,
1. Bürgermeister

Vorwort zur 2. Auflage

Erschien das Buch »Schloß Falkenstein – des Märchenkönigs letzter Traum« zum 100. Todestag von König Ludwig II., so widmen wir 10 Jahre später die zweite Auflage seinem 150. Geburtstag. Das große Interesse an dem vorliegenden Buch über den Falkenstein hat die Gemeinde veranlaßt, einer weiteren Auflage zuzustimmen.

Gleichzeitig möchte die Gemeinde an zwei große, ehrenamtliche Heimatforscher erinnern, die zum Gelingen dieses Buches wesentlich beigetragen haben. Es sind dies Annemarie und Adolf Schröppel. Der Tod von Adolf Schröppel im Jahr 1988 und Annemarie Schröppel im Jahr 1994 hat alle, die sie kannten, zutiefst bewegt.

Das »Alt-Pfrontener Photoalbum« und das vorliegende Buch über den Falkenstein mit seiner beeindruckenden Geschichte, die eng mit unserem Heimatort verbunden ist, zählen zu den hervorragenden Werken ihrer vielseitigen Forschertätigkeit.

Die Gemeinde wird Annemarie und Adolf Schröppel für ihren unermüdlichen Einsatz unserer Heimat zuliebe ein ehrendes Gedenken bewahren.

Pfronten, im Dezember 1994

Walter Moller,
2. Bürgermeister

Topografie und Geschichte des Falkenstein

Der Burgfelsen Falkenstein

Droben, am östlichen Rand der Gemeinde Pfronten, hebt ein steiler, aufgesetzter Felsen aus Wettersteinkalk die Reste der einstigen Feste Falkenstein gegen den Himmel empor, vierhundert Meter über den Talboden und 1268 Meter über Normal-Null. Sie ist Deutschlands höchstgelegene Burgruine, gut neunhundert Jahre alt, nach ihrem Bau für fünfhundert Jahre mit Leben erfüllt, in den letzten vierhundert Jahren sich selbst überlassen.

Der Name »Falkenstein« trat erst nach dem Bau der Feste auf, als der fürstliche Herr von seinem neuen Regal auf die Hohe Jagd Gebrauch machte und dort Falken für die Beizjagd hielt. Die Bevölkerung verblieb beim alten Namen »Manze«, den sie für das ganze Bergmassiv gebrauchte, und »Manzeschloß« für die Burg. Erst seit gut hundert Jahren setzt sich die Bezeichnung »Falkenstein« langsam durch.

Hoch auf steiler Höhe über der Zone der Talnebel erbaut, wo kein schattender Berg die sonnigen Tage des Winters kürzt, wo warme Südwinde im Frühling und Herbst die steile Flanke des Felsens erwärmen und südalpinen Felsenschwalben und Flechten ihre seltene Existenz an diesem extrem nördlichen Ort ermöglichen, war gut wohnen trotz der Erschwernis des Zugangs über zwei Pfade, die nur Fußgänger und Reiter erklimmen konnten. Hier war bis vor dreißig Jahren noch der Apollo, der König unserer Schmetterlinge, daheim. Seine Futterpflanze, die weiße Sede, und in ihrer Gesellschaft das Stengelfingerkraut, das aus den Felsspalten herunterhängt, unterstreichen das günstige trockenwarme Kleinklima dieses Ortes.

Für den frühen Bau der altertümlichen Burganlage auf diesem Platz waren aber andere Momente wichtig und ausschlaggebend: die freie Sicht ringsum und die Fernstraße nach Italien, die den Manzeberg umrundete und kilometerweit in beiden Richtungen einzusehen war. Nach Norden ging der Blick weit hinaus, weil in der Füssener Bucht auf 20 km Länge hin – das ist einmalig am deutschen Alpenrand – keine Vorberge die Sicht behindern. So hatten die Falkensteiner sogar Sichtverbindung mit ihrer Schwesterburg in Hopfen. Dieses alles und die Gunst des steilen und fast uneinnehmbaren Felsens machten die Wahl des Falkensteins als »Paßhut« für die Sicherung der Straße leicht.

Das Mittelstück des sogenannten »Falkensteinzuges« der Geologen wird durch zwei tiefe Einbrüche begrenzt und aus der sonst zusammenhängenden Kette von Bergrücken und Gipfeln herausgehoben, im Westen durch die Pfrontener Talung, im Osten durch den Lech. Dieses kompakte Kernstück bildet einen zehn Kilometer langen Riegel, der quer vor dem Lechtal liegt und den starken Strom nach Osten ablenkte; doch nicht nur ihn, er teilte auch den Verkehr, der auf der oberen Straße, der wichtigsten Handelsverbindung über die Ostalpen, von Süden kam und über Füssen in Richtung Augsburg weiterrollte oder über Pfronten – Kempten seinen Weg nach Ulm nahm. Die beiderseitigen Kopfenden des großen Sperriegels vor dem Lechtal, eiszeitlich abgeschliffene Bergstümpfe, deren Kuppen von härteren Kalken überragt werden, boten sich als ideale Standorte für die Wacht und den Schutz des freien Verkehrs auf der Straße »ins Gebirg zu den Pässen« an, die sogenannte »Paßhut«. Um 1060 war dieses der Anstoß für den Bau der Feste Falkenstein und zweihundertfünfzig Jahre später für den Bau der ersten Burg auf dem Altwiek neben der Stadt Füssen.

Die Straße über den Fernpaß ist in den Ostalpen die einzige gute Verbindung zu den weiterführenden Straßen über den Brenner und über den Reschen gewesen. Der Brennerweg nach Bozen – Trient war kürzer und wurde für die Heereszüge über die Alpen benutzt. Für die Frachtwagen der Wirtschaft war er unbrauchbar ob der Steilstücke in der Strecke. Die stark befahrene Route der »oberen Straße«, auch »obere Reichsstraße«, trug fast den ganzen Güterverkehr von Nord nach Süd und umgekehrt. Der Frachthandel ging mit Waren eigener und zugekaufter Produktion über den Fernpaß – Imst – Reschen – Münstertal – Wormser Joch – Bormio bis zum Comosee und weiter über Mailand nach Genua, dem großen Umschlagplatz für Überseefracht.

Im Jahre 1426 gelang den Venezianern mit dem Durchbruch bis an die Adda der große Schlag gegen Genua und der eigene Aufstieg zum größten Handelshafen des Mittelmeeres. Der Frachthandel über Pfronten und auch jener der Pfrontener Unternehmer lief nun mehr und mehr über Imst zum Brenner und nach Venedig. Die Pässe zwischen Füssen – Pfronten und Imst aber blieben für beide Strecken dieselben und die Sicherung des freien Verkehrs auf den Zufahrten doppelt wichtig.

Um die Jahrtausendwende waren nach dem geltenden Recht alle Wälder, Berge, Gewässer und alle ungerodeten Landstriche Eigentum des Reiches. Den freien Siedlern gehörten die mit Erlaubnis gerodeten Flächen, »ir frei eigen gut«, das sie »uss der welden errutt han«. Der Falkenstein mit seinen bewaldeten Hängen war demnach Eigentum der Krone. Er ging im elften Jahrhundert in den Besitz des Hochstiftes Augsburg über und kam 1803 durch die Säkularisation an Bayern. Das bayerische Staatsärar trennte sich zeitig von diesem Neuzugang.

Weil in der alten Zeit die weltlichen Territorialfürsten, die zur Verwaltung wichtiger Gebiete eingesetzt waren, nicht mehr den Anforderungen entsprachen, jedoch nach Vererblichkeit ihrer Macht strebten, trug Kaiser Heinrich III. Sorge, die Posten mit hohen Geistlichen zu besetzen. Das Ansehen dieses Standes hatte nach der großen Reform Papst Gregors VII. an Glanz gewonnen. Da Gregor auch das Zölibat wieder einführte und durchsetzte, schienen sie besonders zu solchen Ämtern geeignet.

Der Wildbann und andere Rechte

Das wichtigste Gut des Kaisers im Allgäu und in Tirol war die Fernstraße. Ihretwegen verlieh die Kaiserin-Witwe und Reichsverweserin Agnes aus dem Nachlaß des Kaisers dem Augsburger Bischof im Jahre 1059 den Forst- und Wildbann im ehemaligen Keltensteingau und die Grafenrechte von Keltenstein- und Augstgau. Die Vogtei über beide Gaue verblieb beim Reich bis

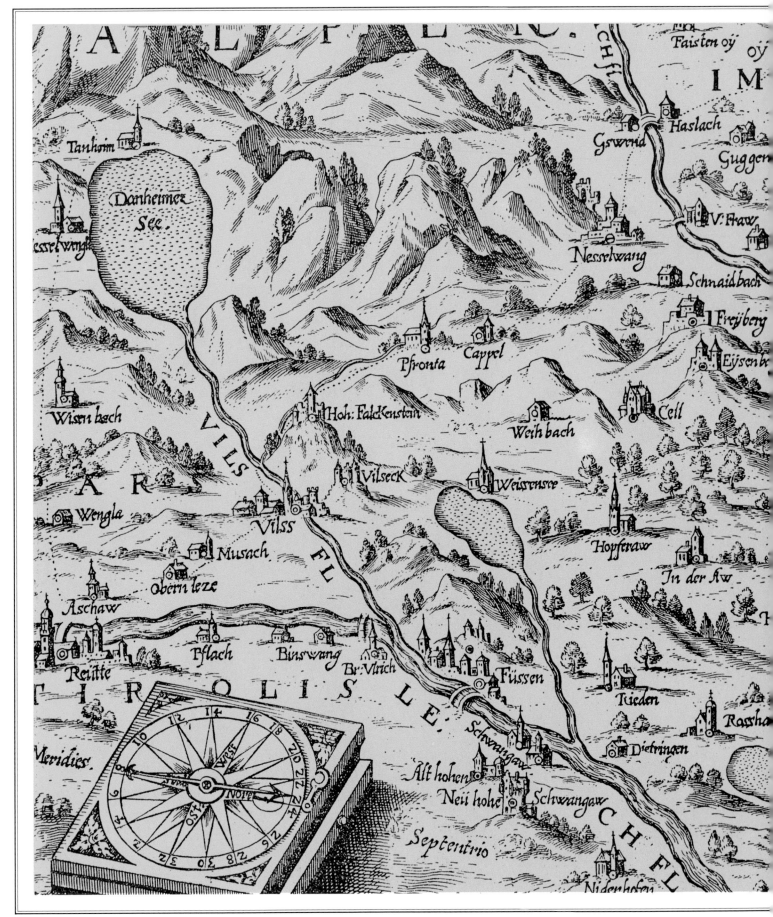

ALPING. IM

Faisten oy oy

Tanhoim

Danheimer See.

Nesselwang

Haslach

Gswend

Guggen

V: Fraw

Schnaidbach

Freyberg

Pfronta   Cappel

Eysen b

Wisen bach

Hoh: Falckenstein

Weih bach

Ceil

AR

VILS

Vilseck

Weisensee

Wengla

Vilss

FL

Hopferaw

Musach

In der Aw

Obern leze

Aschaw

Weisensee

Reütte

Pflach   Binswang

Br: Vlrich

Füssen

Tieden

TIROLIS   LE

Rassha

Dietringen

Meridies.

12   14   16   18
10   20 22
                          24
9   DRSE   26
            NORT   OST
       SVD NOTT ILSO
                          28
            OST   30
       4   32
                    0 8 2

LECH FL.

Schwangaw

Alt hohen

Neü hohe   Schwangaw

Septentrio

Niderhofen

310, als Heinrich VII. sie an die Augsburger Domkirche verpfändete, ein Reichsfand, das nie eingelöst wurde. Damit regierte der Bischof ein riesiges Waldgebiet zwischen Lech und Iller mit der Nordgrenze bei Thalhofen, das sich an die 90 km weit nach Südwesten erstreckte.

Die Verleihung des Wildbannes gab dem Bischof die Jagdhoheit im gesamten Banngebiet und die hohe Forst- und Jagdgerichtsbarkeit, dazu das besonders wertvolle Rodungsrecht, das ihm erlaubte, neue Siedler anzusetzen. Weiter erhielt er das Zoll- und Geleitsrecht. Als Reichsfürst regierte er das Hochstift Augsburg, den weltlichen Besitz der Domkirche zu Augsburg. Als die Bischöfe das Banngebiet in kleinere Einheiten aufteilten, wurde die Feste Falkenstein Verwaltungssitz für die Vogtei Falkenstein.

Wo im Süden die Straßen wieder vom Gebirge herabsteigen, handelten die Kaiser nach gleichem Rezept wie im Norden. Schon 1048 hatte Heinrich III. mit der Schenkung eines großen Wildbanngebietes im Pustertalgau an den Bischof von Brixen die südöstliche Zufahrt zum Brenner abgesichert, und die einsetzende Rodungswelle in diesen Wäldern brachte »freie deutsche Siedler und Adelige« in das Neuland. Als Heinrich IV. im Jahre 1091 an Bischof Altwin von Brixen, seinen treuen Parteigänger, die Grafschaft Pustertal übergab, war das die wichtigste Schenkung der Kaiser an Brixen. Von hier aus konnten sowohl der Weg zum Brenner wie auch jener durch das Pustertal und die Straße von Brixen herauf kontrolliert werden. »So erlangten die Fürstbischöfe von Brixen und Augsburg durch die Schenkungen der Kaiser eine führende Stellung bei der Bewachung der Reichsstraßen nach Italien. Ihre allmählich herangewachsenen fürstbischöflichen Territorien wurden zu kleinen Paßhut-Staaten.«

Abb. Seite 9
Burgruine Falkenstein, Lithografie aus der Sammlung »Malerische Burgen« von Domenico Quaglio, ca. 1836.

Abb. Seite 10
Ausschnitt aus der ältesten Karte vom Allgäu aus dem Jahre 1619.

Die Veste Falckhenstain

Nach der Belehnung mit dem Grafenrecht im Jahre 1059 hat Bischof Heinrich II. mit dem Bau der Veste auf dem Falkenstein begonnen. Vermutlich ist auch gleichzeitig über dem Hopfensee die für den Füssener Abschnitt zuständige Feste Hopfen entstanden.

Die Pfrontener Anlage steht unmittelbar auf Felsboden und konnte daher ganz aus Bruchsteinen aufgemauert werden. Bei knapp 1 m Stärke des Gemäuers hat sie 18 m Außenlänge und 8,5 m Breite. Die Ostwand mit einem rundbogigen Tor fehlt; ein Blitz hat sie 1898 zertrümmert. Die Reihen von Balkenlöchern der Ruine weisen eine Gliederung in drei Stockwerke aus. Das Erdgeschoß, mit einem Lichtschlitz in der Westwand, war durch eine Zwischenmauer in zwei Räume ungleicher Größe geteilt. Der Zwischenstock hatte drei Lichtschlitze gegen Süden und drei gegen Norden. Das dritte und wichtigste Stockwerk zeigt eine Gliederung mit rundbogigen Einzel- und Doppelfenstern, die stützende Einbauten haben und teilweise zur Hälfte zugemauert sind.

Die Außenmauer, im oberen Teil sich verjüngend, trug in alter Zeit wohl die mit Zinnen gekrönte Kampf- oder Wehrplatte für die Verteidiger bei Kriegsnot und in späterer Zeit ein Dach. Nebenbauten gab es nicht, doch zeigten sich Ansätze für eine Mauer rings um das Gebäude. Die Versorgungsanlagen standen tiefer drunten auf dem Schloßanger, zu denen ein steiler Fußweg über die Westwand des Felsens hinabführte, vorbei an der Zisterne, die 50 m hoch im Bannwald über dem Anger liegt. Wohl gleichzeitig mit der Burg ist drunten am »Burgweg« im heutigen Meilingen die Kapelle St. Maria gebaut worden, der Patronin des Hochstiftes und der Domkirche zu Augsburg geweiht. Eine Kapelle innerhalb der Veste war bei der Planung ausgespart worden.

Die Veste Falckhenstain ist eine Mischung aus Höhenburg und Turmburg. Beide dienten der erhöhten Sicherheit ihrer Bewohner. Der beengte Raum rund um die Burg zwischen den steil abfallenden Felswänden war genau so günstig wie der schwere, blockhafte Kunstbau mitten auf der Kuppe. Dieser Typus beherrschte vom 10. bis zum 12. Jahrhundert fast ausschließlich den Burgenbau. Da stellten die Baumeister nicht wie in späterer Zeit den Bergfried, den Palas (= das Wohngebäude) oder die Kapelle getrennt nebeneinander in einen mauerumwehrten Burghof, sondern türmten alles etagenförmig übereinander in einen Bau mit kräftiger Außenschale und unter einem Dach. Aus Holz waren die Zwischenwände, Treppen und Böden. Der Keller lag im Untergeschoß, hinter der Steinmauer dort ein gut gesicherter Archivraum oder ähnliches. Der zweite Stock hatte Sehschlitze nach beiden Straßenseiten hin, aber wohl auch die Küche und andere Versorgungseinrichtungen. Im Obergeschoß lag die Wohnung des fürstlichen Herrn aus Augsburg, der hier seine Sommerresidenz hatte, für Notzeiten auch seine Zuflucht nehmen konnte. Hier gab es Palas und Kammern, Kamine und helle Fenster.

Der Falkenstein nach den Staufern

Genau zweihundert Jahre lief alles auf dem Falkenstein, wie es geplant war. Dann kamen das Ende der Staufen-Kaiser und die Auflösung ihres Herzogtums Schwaben, und erbitterter Streit und Kampf um das reiche welfisch-staufische Erbe hob an.

Mit dem Tode Kaiser Friedrichs II. von Hohenstaufen im Jahre 1250, der in langer Regierungszeit moderne Reformen, Gesetze und Verordnungen durchsetzte, der die Geldwirtschaft und den Einsatz von Beamten einführte, endete eine gute Zeit, die wirtschaftlichen Aufschwung und regen Handelsverkehr gebracht hatte. Bei diesem Hintergrund wird der Druck des Bayernherzogs auf das Hochstift Augsburg verständlich, dort lagen die Transitwege zu Wasser und zu Lande. Er machte Erbansprüche geltend, wie auch Graf Meinhard II. von Tirol, der energische Schmied eines einheitlichen Landes Tirol.

Der Graf von Tirol übernahm ohne viel Aufhebens, was ihm für den Erbfall von seinem Stiefsohn Konradin zugesichert war. Der junge König Konradin hatte im Jahre 1266, bevor er zur Übernahme des Erbes seines Großvaters Friedrich nach Italien zog, die Herrschaft Imst urkundlich seinem Stiefvater Meinhard II. von Tirol übergeben. Dieser vereinigte Imst und die Herrschaft

Petersberg mit der Grafschaft und dem Lande Tirol. Zu Imst gehörte damals auch das Außerfern. Damit besaß Graf Meinhard II. Land und Fernstraße von Trient bis zum Lechtor südlich von Pfronten und Füssen, wo sich die Straße in ihre beiden nordwärts führenden Arme teilt.

Anders verhielt sich sein Schwager, Herzog Ludwig II. von Bayern, der Strenge. Er schwächte erst die Position des Bischofs, indem er ihm kraft seines Amtes als Reichsvikar die Vogteirechte entzog. Dann versuchte er immer wieder mit Truppengewalt zu erreichen, was ihm beide, der Bischof wie der Tiroler Graf, nicht zugestehen wollten, eine bayerische Bastion auf dem westlichen Lechufer zu errichten. Fünfundzwanzig Jahre dauerten seine Attacken, und seine

Söhne setzten das fort. Die Stoßrichtung der Angriffe konzentrierte sich auf das Kloster St. Mang in Füssen. Es lag ihm nichts an dem Kloster an sich, aber seine strategische Lage direkt neben der Füssener Lechbrücke, wo sich Land- und Wasserstraße kreuzen und sein Berg Altwiek daneben, der eine große Festung tragen konnte, waren die Schlüsselstellung für den Griff nach der Straße und ihrem Handelsverkehr. Ludwig hat nie gesiegt, selbst als er in Füssen Fuß fassen konnte, nach schwerem und verlustreichem Kampf gegen den Bischof, mußte der Herzog im Frieden von Augsburg alle Eroberungen herausgeben und seine Sperren am Lech beseitigen, um den freien Verkehr für alle auf der Straße zu ermöglichen. Graf Meinhard II. stand dabei in

gutem Einvernehmen mit dem Geistlichen Herrn in Augsburg gegen seinen Schwager, den Herzog von Bayern. Für sein »Land im Gebirge« brauchte er notwendiger denn je den Transithandel. Die obere Straße hatte er gerade »neu ausgebaut«, hatte florierende Märkte als Handelszentren an ihrem Saum geschaffen. Darum lag dem Grafen viel daran, daß die Straße nicht in bayerische Hand kam. Er schickte im Notfall sogar Tiroler Söldner der fürstbischöflichen Stadt Füssen zu Hilfe.

Für maximal einundzwanzig Jahre geriet nach Konradins Tod der Falkenstein in den Besitz des Grafen von Tirol. Der Grund für diesen Wechsel läßt sich nur raten, weil es keinerlei Urkunde darüber gibt. Die Burg ist nicht erobert worden. Sie wurde unbeschä

ligt übergeben, sei es, daß Meinhard Erb-ansprüche mit einem Papier des Königs Konradin begründen konnte, wie es der Bayernherzog hinsichtlich des Klosters Füssen besaß; sei es, daß der Graf sich die Burg vom Bischof erbat, weil er selber besser imstande war, sie zu halten und einzusetzen, falls der Bayer durchbrechen sollte; es bleibt alles Spekulation. Dafür ist die Rückgabe verbrieft: Im Jahre 1290 erstattete Meinhard dem Bischof die Burg zurück gegen eine Geldrente für seine Aufwendungen und das Versprechen, die Burg jederzeit auf Anforderung zurückzugeben. Am 17. September 1290 im Vertrage zu Lermoos hatte Graf Meinhard II. die Burg in Pfronten dem Bischof zurückgegeben. Als 1310 die Vogtei Falkenstein errichtet wurde, machte man die Burg und die bischöfliche Sommerresidenz zum dauernden Amtssitz der Vögte.

Seine Burg Hopfen nutzte der Bischof zunächst als Sommerresidenz und seit der Fertigstellung der Burg Füssen in den zwanziger Jahren den großen Wohnbau dieser Burg. Der Füssener Schloßberg war 1322 vom Kloster Füssen gegen Burg und Ländereien in Hopfen getauscht worden. Für den Neubau von Kirche und Kloster St. Mang anno 1701/02 ließ der Abt viele Fuder mit Bruchsteinen aus der Ruine Hopfen brechen und nach Füssen bringen.

Das Pflegamt Füssen war von der Burg Hopfen in die neue Burg in Füssen verlegt worden. Auch Rechte und Befugnisse der Vögte auf dem Falkenstein wanderten scheibchenweise in dieses größere Amt ab. Die Begründung für diese Aushöhlung des Vogtamtes auf dem Falkenstein glaubt eine mündliche Überlieferung zu wissen: Der Vogt Hans Kempf habe 1525 im Bauernkrieg die Partei der Bauern genommen, während die bischofstreuen Pfrontener daheimblieben. Das habe zum Entzug übergeordneter Funktionen geführt. So blieb dann nur die Tätigkeit als Amtmann für Pfronten übrig. Sie blieben zunächst auf der Burg, mit zusätzlichen Aufgaben betraut, Burg und Bannwald zu pflegen und zu betreuen. Die Burg zerfiel aber sichtlich und war bis zum Ende des Jahrhunderts unbewohnbar geworden. Spätestens seit 1600 hatten die Widemänner ihren Sitz im bischöflichen Widenhof in Pfronten. Die Burg auf dem Falkenstein wurde dem Verfall preisgegeben.

Der Falkenstein mit der Burg hat bis zur Jahreswende 1802/03 zum Hochstift Augsburg gehört, mit dem er durch die Säkularisation an das Kurfürstentum Bayern fiel. Am 7.10.1812 hat Leonhard Rimmel in Ried die gesamte königliche Flur mit dem Bannwald, über 70 Tagwerk (23,41 ha) groß, für 220 Gulden ersteigert.

Als Leonhard Rimmel 1817 am Heideleck Bauholz zu seinem neuen Haus in Pfronten herrichtete, hat er an der Manze einen großen Waldbrand verursacht. Er hatte beim Aufräumen ein kleines Feuer gemacht, das sich schnell über die ganze Manze ausbreitete und wochenlang brannte. Rimmel wurde für seine Unvorsichtigkeit mit 6 Wochen Arrest bestraft, »obwohl sein eigenes Bauholz mitverbrannt ist«. In den nächsten Jahren konnte er seinen ausgeglühten Boden als künftige Viehweide an die Ortsgemeinden Steinach-Ösch verkaufen.

Abb. Seite 12
Ansicht von Pfronten-Weißbach um 1885. Blick auf Pfronten-Berg mit Pfarrkirche St. Nikolaus, Pfronten-Meilingen und den Manzenberg mit der Burgruine Falkenstein.

Amtseid des Hans Haslach als Vogt zu Falckenstain 1424

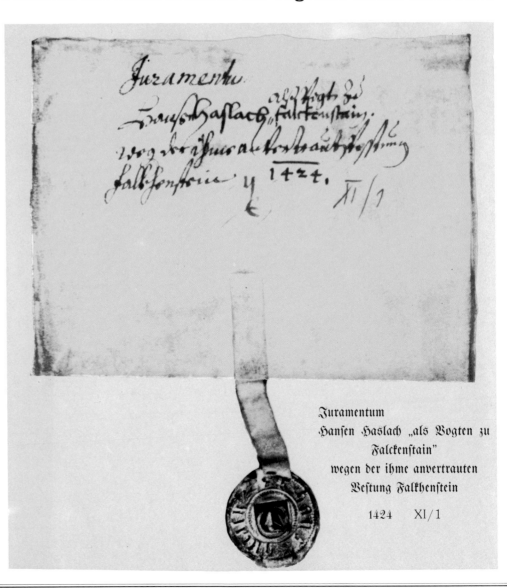

Juramentum
Hansen Haslach „als Vogten zu Falckenstain"
wegen der ihme anvertrauten Vestung Falckhenstein

1424 XI/1

Ich hans Laslach Bekenn vnd tŭ kunt offenlich mit disem briefe vor allermenigliche
furste vnd herre der spetter Bischoffe zu Auszpurg min genediger herre sein vnd seins Sti-
fftes Hohensinge Valkenstein mir eingeantwort bevolhen vnd mich zu einem wart vnd
vnd gemarker hatt Das ich im zu den heiligen ainen gelerten aide geswor han die
als ein getriwer wart vnd ŭerckman Innen zu haben vnd zu besorgen nach min
vngefuerlichen Vnd im auch da mit gewartig vnd gehorsam zu sein als dann ein
seinem herrn gewartig sein sol auch getriwlichen vnd vngefuerlichen Vnd wer ab
das der obgenant min genediger herre von todes wegen abgienge gefangen vnd
lebenden ziten von dem Bistum keme wie oder in welhe weise sich das fugte in
obgenant veste vnd bewarunge Innan han Das ab ich dann den Erwirdigen de-
Techant vnd Capitel des Stŭfts zu Auszprg da mit gehorsam vnd gewartig
sunst nyemand anders vnd da mit ein vnd welhaliten ein allen firwege
Das daselb Capitel mit mir schaffet vnd haisset an alles gemere als ich den
vnd den heiligen leiplichen gesworen hein Doch ab das were da gut vor so
min genediger herre Bischoff Peter in sunckuns keme das dann sein Capite
alles ŭ bringen vnd getriwlichen darzu tun vnd darnach werben vnd sten
solhier sunckuns bringen vnd lediten mochten vngefuerlichen Vnd wenn
sunckuns ledig wurde So sol ich vnd bin minen vorgenanten genedigen he
verbunden gewartig vnd gehorsam zu sein in aller mosz als vor getriwlicher
Vnd des alles zu gutem vrkunde So gib ich disen offenen briefe besigelten m
anhangendem Jnsigil Der gebenn an aller heiligen tag Nach Crist gebŭrt v
vnd darnach in dem vier vnd zwaintzigsten Jare :.

Ich, Hans Haslach, bekenne und tue mit diesem Briefe öffentlich kund vor aller Welt: Als der Hochwürdige Fürst und Herre, Herr Peter (von Schaumburg), Bischof zu Augsburg, mein gnädiger Herr befohlen hat, seine und seines Gotteshauses (Dom zu Augsburg) Feste und Behausung Valkenstain mir zu überantworten und mich zu einem Vogt und Burgmann dahin gesetzt und veranlaßt hat, daß ich ihm zu den Hailigen einen erlernten Eid geschworen habe, selbige Feste und Behausung als ein getreuer Vogt und Burgmann innezuhaben und ungefährdet zu versorgen nach meinem besten Vermögen und ihm auch damit gewärtig und gehorsam zu sein, als dann ein Vogt und Diener seinem Herren gewärtig sein soll, auch getreulich und ohne Gefährdung. Und wäre auch – was Gott nicht wollen möge – daß der oben genannte, mein gnädiger Herr, von Todes wegen abginge, gefangen würde oder sonst bei seinen Lebzeiten von dem Bistum käme, wie oder in welcher Weise sich das fügte, in der Zeit, in der ich die obengenannte Feste und Behausung innehabe. Daß ich dann den Ehrwürdigen Herren, dem Domprobst, Dechant und Capitel des Bistums zu Augsburg, damit gehorsam und gewärtig sein soll und will und sonst niemand anderem und mit ihnen tun und bereitwillig auch allen anderen vorzöge. Halten alles was selbiges Capitel mit mir schaffet und heißet an allem Gewerk, wie ich dies alles auch zu Gott und den Hailigen leiblich geschworen habe. Doch ob das wäre – da Gott vor sei – daß der zuvor genannte, mein gnädiger Herre Bischof Peter, in Fancknus (Gefangenschaft) käme, daß dann sein Capitel zu Augsburg alles, was sie vermögen, und getreulich dazutun und danach werben und einstehen sollen, ob sie Ihn von solcher Fancknus freibringen und ohne Gefahr ledigen möchten. Und wenn er dann von solcher Gefangenschaft ledig würde, so soll ich und bin meinem vorgenannten gnädigen Herren schuldig und verbunden, gewärtig und gehorsam zu sein in all dem Maße getreulich wie zuvor.

Und dies alles zu guter Urkund gebe ich diesen offenen Brief, besiegelt mit meinem eigenen anhangenden Siegel, der gegeben ist am Aller-Hailigen-Tag nach Cristi Geburt vierzehnhundert Jare und darnach in dem vier und zwaintzigsten Jare.   (1. Nov. 1424)

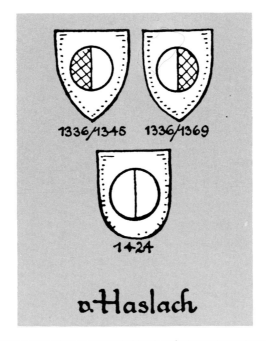

v.Haslach

Abb. Seite 13 und 14 / 15
Der Amtseid von Vogt Hans Haslach, 1424, ist die älteste Urkunde vom Falkenstein.

Vögte
auf dem Falkenstein

1424 Hans Haslach wird vom Bischof P[e]ter auf seines »gotzhuses veste vnd beh[u]sunge Valkenstein zu einem Vogt und bur[k]mann« gesetzt (Regesta Bo.XIII, 46).

1459 Conratt Aldrian, Pfleger auf de[m] Falkenstein (Mon.Bo.VI,547), genannt a[l] Freischöffe bei der »Heimlichen Acht« i[n] einer Streitsache der Stadt Füssen gege[n] »Ulrich des namens Löwenberg« (Archi[v] Füssen Nr. 53).

1479 Hans Hochemberg, 1493 in eine[m] Urfehdebrief Altvogt zu Pfronten genann[t] (Füssener Archiv).

1497 Hanns Maurer der Ältere beurku[n]det: »hanns Maurer, der Elter, Pfleger uf[m] Falkenstein« die Stiftung des Benefizium[s] in Pfronten-Kappel (Urkunde in der Orts[lade von Kappel).

1514 Ulrich Tedeler als Vogt und Pflege[r] auf dem Falkenstein genannt.

1523 Michael Kempf, Pfleger auf de[m] Falkenstein, wegen Teilnahme am Bauer[n]krieg 1525 auf seiten der Bauern mußte e[r] sich am 9. 8. 1525 auf Gnade und Ungnad[e] dem Schwäbischen Bund ergeben. Übe[r] sein weiteres Schicksal ist nichts bekannt.

1529 Matthias Tedeler, Widemann au[f] dem Falkenstein (Brunnenvertrag in Dor[f] am Donnerstag nach St.Medardustag). E[r] kaufte 1539 das »Herkomerhaus« in Pfron[ten. Um 1560 wurde er entlassen, weil e[r] verschiedene Sachen aus dem Schloß her[aus]ausbrechen und in sein Haus hatte bringe[n] lassen, 1560 und 1568 als Altvogt genann[t].

1540 Michl Hizelberger auf dem Falke[n]stein ist genannt in einer Urkunde übe[r] Wuhrstreit zwischen Bläslesmühle und de[r] Gemeinde Ried (Lib.Scholz).

1557 Papst, bischöflicher Beamter au[f] dem Falkenstein (Lib.Scholz, Aufzeichnun[gen).

1560 Matthias Keller, Vogt und Wide[mann auf dem Falkenstein (Lib. Scholz Aufzeichnungen).

16

565 **Jörg Reichart,** Vogt und Hauspfleger auf dem Falkenstein; er wurde entlassen, weil er unberechtigt eine größere Anzahl von Bäumen gefällt hatte.

569 **Hans Tedeler,** Vogt und Widemann auf dem Falkenstein (Vergleichsvertrag am St. Niklastag 1574, altes Protokollbuch).

574 **Thomann Miller,** Widemann und Pfleger ufm Falkenstein.

500 **Caspar Hotter,** letzter Pfleger auf dem Falkenstein.

Hanns Brait
Probst 1529 - 1566

Matheis Detrl/Däderler
Vogt 1534 - 1546

Abb. Seite 16
Der Falkenstein von Schönbichl aus gesehen. Nach der Natur gezeichnet von Ludwig Walther.

Abb. Seite 17 rechts
Wappen der Füssener Vögte, die gleichzeitig für den Falkenstein zuständig waren.

Abb. Seite 17 unten
Originalschlüssel der Burg Falkenstein, gefunden beim Bau der Wasserleitung 1885.

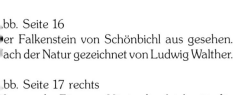

Michael Kimerle
Propst 1567 - 1587

Joh. Conrad Thanner
Vogt 1686 - 1715

Hanns Brait, Pfleger und Probst zu Füssen, an den Fürstbischof zu Augsburg, Otto Truchseß von Waldburg, 1565:

Bericht über bauliche Schäden der Burg Falkenstein

Dem Hochwürdigsten Fürsten und Herrn, Herrn Otho (= Otto Truchseß von Waldburg) der Hailigen Römischen Kirchen Bischof, Cardinal zu Alban und Augspurg, Probst und Herr zu Ellwangen, unserem gnädigsten Fürsten und Herrn,

Dillingen

Hochwürdigster Fürst, Gnädiger Herr, Euer Hochfürstliche Gnaden sind unserer untertänigst schuldigen und gehorsamsten Dienste mit höchstem Fleiß allzeit bereit, Gnädigster Fürst und Herr!

Den sechsten dieses Monats haben wir mit gebührender Reverenz ein Schreiben des Jörg Reichart »Binder«, das E.Hfl.Gnaden an uns übermittelt, untertänigst empfangen, daraus wir vernommen haben, daß er von E. Hfl.Gnaden auf dem Falkenstein gnädigst eingesetzt wurde, denselben amtlich zu verwalten, und darüber hinaus uns als Ober= amtleuten auferlegt und befohlen, wo er unser oder unseres Rates bedürfe in Sachen, so für

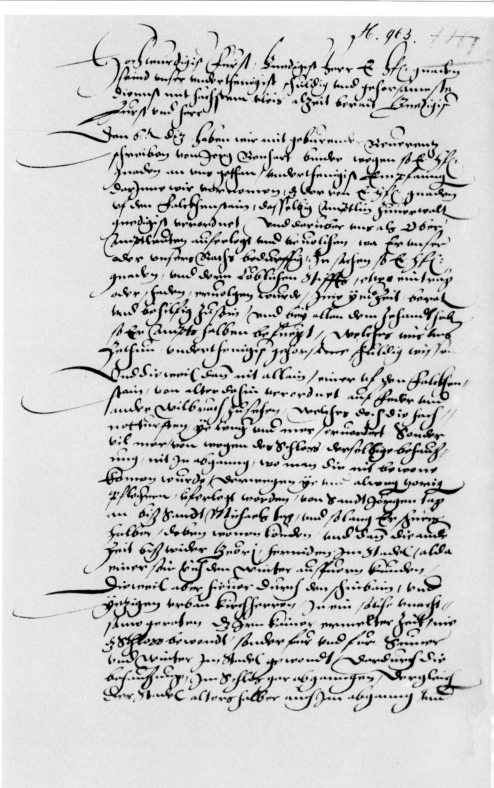

E.Hfl.Gnaden und deren Löbliche Stiftung ohne Beeinträchtigung oder Schaden erfolgen würden, ihn jederzeit beraten und ihm behilflich zu sein bei allen Handlungen, zu denen er amtshalber befugt ist, welches wir uns zu tun untertänigst gehorsam schuldig wissen.

Und dieweil dann nicht allein dem auf dem Falkenstein - von alters her dahin verordnet - Feder (=spiel) und zum andern der Wildbruch zustehen, welche weniger oder mehr den Sachleistungen zugeordnet werden, sondern vielmehr wegen des Schlosses und dessen bewohnbarer Behausung anfallen. Wo man diese nicht bewohnen könne, sei deswegen den allwegs zornigen Pflegern auferlegt worden, von St. Jörgen Tag an bis St. Michaels Tag und solange er Schnees halber droben wohnen könne, und dann die andere Zeit bis wieder Georgi hernieden im Stadel, alda einer sein Vieh den Winter über aufstallen konnte, zu hausen.

Dieweil aber durch den Schürbein und jetzt durch Urban Kirchherr in eine solche Unachtsame (= Vernachlässigung) geraten, daß wir nie das Schloß bewohnt, sondern für und für, Sommer und Winter im Stadel gewohnt haben, dadurch die Behausung im Schloß gar abgegangen, dergleichen der Stadel altershalber auch im Abgang. Und sonderlich beklagt sich der jetzige Pfleger, daß es ihm schwerlich möglich sei, von St. Jörgen Tag bis Michaelis auf dem Schloß zu wohnen. Er läßt sich auch hören, es sei ihm nicht zuzumuten.

So wisse er auch in dieser abgegangenen Behausung des Stadels, ohne Schaden nicht zu hausen, wie er das alles E.Hfl.Gnaden oder deren hochlöblichen Räten, seinem notwendigen Bedarf nach, untertänigst berichtet hat. Was ihm deswegen zu berichten notwendig schien, das haben E.Hfl.Gnaden auf deren gnädigstes Schreiben hin in untertänigsten Berichten - nicht um Vorhaltungen zu machen - erhalten, und mögen E.Hfl.Gnaden uns jederzeit ganz untertänigst befehlen.

Datum, den 7ten May Ao 1565

Euer Hochfürstlichen Gnaden
untertänigst gehorsamer
Diener, Pfleger und Probst
zu Füssen

Hanns Brait

dasselbe zu thun nit unterlassen«. Für Aus besserungen am Mauerwerk, »auch zur Ofen in der Stuben, der Feuerstatt Cam ne«, wurden gebackene Ziegelsteine vo Füssen, etliche Faß mit Kalk, Sand un Lehm, Glaser- und Schlosserarbeiten be willigt.

Am 24. Mai erstellte der Probst in Füsse mit dem Pfleger auf dem Falkenstein un einem Zimmermann zwei Voranschläge fü den Holzausbau, eine Lösung mit Neuei bau von vier Räumen im Schloß. Diese wü den dem früheren Zustand entsprechen m geschlossenen Räumen, getrennt durcl Holzwände und Türen, und »stark g schränkt« sein, das heißt, Schränke und Kä sten ins Wandtäfer eingefügt, wie damal üblich, denn freistehende derartige Möb gab es noch nicht. Es würden benötigt: au dem Bannwald einhundert Stämme Hol

Jörg Reicharts vergebliche Mühe um die bauliche Erhaltung von Schloß Falkenstein

Als Georgius Reichart 1565 das Amt als Pfleger des Schlosses, der zweiten Behausung im Wirtschaftshof auf dem Schloßanger und des fürstbischöflichen Bannwaldes antrat, übernahm er Gebäude, die seit 40 Jahren von seinen Vorgängern zwar genutzt, aber kaum repariert waren. Ein alter Burgvogt hatte 1560 bei seinem Ausscheiden sogar Teile der Holzauskleidung der Wände mit eingebauten Schränken herausbrechen und in sein gekauftes Haus in Pfronten versetzen lassen.

Reichart mußte das Schloß und die Behausung auf dem Schloßanger »allwegs ordentlich verwahren und versorgen, auch beide baulich und wesentlich erhalten«, durfte im Bannwald am Falkenstein ohne Zustimmung und Vorwissen des Probstes in Füssen nichts abgeben und abholzen lassen. Er erhielt dafür jährlich eine geringe

Summe an Bargeld, 12 Stock gutes Mischkorn, freie Wohnung und Holz nach Bedarf. Er konnte den großen Schloßanger und zwei Hofmäder nutzen, die etwa 20 Ochsenfuder Heu und Grummet ergaben und für die Überwinterung von sieben bis acht Stück Großvieh ausreichten.

Mit gutem Willen plante Reichart, die nötigsten Räume im Schloß wieder herzustellen, denn auch seine einstweilige Wohnung auf dem Anger war »übel zu hausen«. Über seinen Vorgesetzten, Probst Brait in Füssen, liefen die Anträge an die Regierung in Dillingen, kamen die Antworten, von denen Reste erhalten sind. Auf das erste Schreiben vom 7. Mai 1565 hin mit den Klagen über schlechten baulichen Zustand der Gebäude wurde befohlen, Reichart solle, so er nicht droben wohnen könne, »wöchentlich wenigstens einmal auf und ab gehen und

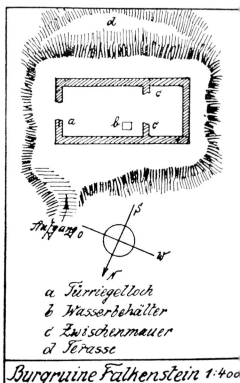

a Türriegelloch
b Wasserbehälter
c Zwischenmauer
d Terrasse

Burgruine Falkenstein 1:400

die Arbeit des Zimmermanns koste 60 Gu den. Der zweite Voranschlag ist überra schend: »Er, der Zimmermann, solle ei Haus von Bundwerk, so nit geschlosser oder geschränkt, machen.« Dafür rechne e 40 Stämme Holz und 30 fl Lohn. Das wa nun die Schale für einen Neubau auf dem Anger; die Einbauten konnten die Bewoh ner selber machen. Für die eine wie die

ndere Ausführung müsse man für Fuß-
öden 30 Schneidbäume hinzukaufen,
tellte der Zimmermann fest, und 8 Haufen
chindeln, macht mitsammen 42 Gulden.

Der zweite Vorschlag wurde ausgeführt,
nachdem auf dem Falkenstein nötige Aus-
besserungen mit Ziegeln gemacht waren.

Der von der Regierung angeregte Bau
eines Reit- und Fahrweges auf den Falkenstein blieb in Ansätzen stecken wegen der
großen Steilheit des Burgfelsens. Das
Schloß wurde nicht mehr bewohnt. An ihm
nagt seitdem der Zahn der Zeit. Kein Feind
hatte es je erobert, niemand angezündet.
Das Bundwerkhaus auf dem Anger be-
wohnte 1628 nach dem letzten beamteten
Pfleger Caspar Hotter dessen Sohn Georg
Hotter, Fürstbischöflicher Jäger. Seitdem
hieß es das »Jägerhaus«.

Georgius Reichart aber, der Erbauer, hat
sich kaum seines Werkes erfreuen können.
Nach vierjähriger Tätigkeit wurde er entlassen, weil er eigenmächtig mehr Bäume ein-
schlug, als ihm freigegeben waren. Nachdem er schon am 27. Mai 1565 ermahnt
worden war, nicht gegen fürstliche Befehle
zu verstoßen, war nach der Bauerei im Jahre 1569 wohl das Maß voll.

Er ging auf seinen Hof in Pfronten-Weißbach, den er erheiratet hatte. Dort hat er seine berühmten »Pfrontener Holzkalender«
konstruiert und geschnitzt (Abb. unten). Seine Söhne und Enkel in Meilingen blieben
beim Bau als gute Zimmermeister, bis diese
Reicharts ausstarben.

Abb. Seite 20 oben
Ruine Falkenstein, nach einer Zeichnung von
Jos. Buck.

Abb. Seite 20 unten
Grundrißplan der Burgruine Falkenstein.

Abb. Seite 21 oben
Ausblick aus der Ruine Falkenstein, nach einer
Zeichnung von Jos. Buck.

Abb. Seite 21 unten
Teilabbildung des Pfrontener Holzkalenders
von Georgius Reichart, Pfleger auf dem Falkenstein, nach 1570.

DIE KÖNIGE · VON BAYERN
UND DAS BAYER · 1897 · STAATSWAPPENS

FRIEDRICH MICHAEL ·
PRINZ VON ZWEIBRÜCKEN=
=BIRKENFELD · GEB·27·II·1724 ⚜ ·15·XI·1794·

MAXIMILIAN·I·JOSEPH·
·GEBOREN·AM · 27·MAI·1756·
WIRD·1799 KURFÜRST VON BAYERN U·
ERHÄLT DURCH D· PRESSBURGER
FRIEDEN · 26·DEZ·1805 DIE KÖNIGSWÜRD·
·STARB·AM · 13·OKT·1825·

LUDWIG·I·
GEBOREN·AM · 25·MÄRZ·1786·
KÖNIG SEIT 13· OKTOBER 1825·
DANKT·AB·20·MÄRZ·1848·
⚜ 29 · FEB · 1868·

MAXIMILIAN II·JOSEPH
GEBOREN·AM·28·NOV·1811·
KÖNIG SEIT 21· MÄRZ·1848·
⚜ AM · 10 · III · 64 ·

LUITPOLD ·
PRINZ VON BAYERN
GEBOREN AM 12· MÄRZ·1821·
DES KÖNIGREICHS BAYERN
VERWESER S· 10·JUNI 1886

LUDWIG ·
PRINZ VON BAYERN
GEBOREN AM 7·JAN·1845·

LUDWIG · II ·
GEBOREN · 25·AUG·1845·
KÖNIG SEIT 10·MÄRZ·1864
⚜ 13·JUNI·1886·

OTTO ·
GEBOREN 27·APR·1848·
KÖNIG SEIT·13·JUNI 1886·
UNTER REGENTSCHAFT
DES PRINZEN LUITPOLD·

RUPPRECHT ·
PRINZ VON BAYERN ⚜
GEBOREN AM 18·M·1869·

Schloß Falkenstein – Des Märchenkönigs letzter Traum

Jedes Jahr bewundern Millionen Besucher die Schlösser des beliebten und vom Volke sehr verehrten Bayernkönig Ludwig II. In Herrenchiemsee, dem wohl prunkvollsten der Bayerischen Schlösser, steht das Modell von Schloß Falkenstein, welches die Reihe aller »Königlichen Prachtbauten« fortsetzen sollte. Die Schlösser Neuschwanstein, Linderhof und Herrenchiemsee vermitteln mit all ihrer Pracht keinen so tiefen Eindruck vom Denken und Fühlen des Königs in den letzten Jahren vor seinem Tode wie die Pläne vom fast vergessenen Schloß Falkenstein.

Die Planung wurde durch den Tod von König Ludwig II. am Pfingstsonntag, dem 13. Juni 1886, abgebrochen und nie weitergeführt. Die Pläne kamen zur Aufbewahrung in das Ludwig-II.-Museum.

Bei Pfronten, etwa 15 km Luftlinie von Neuschwanstein entfernt, erhebt sich der bewaldete Rücken des Falkenstein, dessen schroffer Gipfel von den stark verwitterten Resten der höchstgelegenen Burgruine Deutschlands gekrönt wird. Die steil abfallenden Felswände machten es unmöglich, die Burg jemals einzunehmen. Nur ein schmaler Grat führt von Osten her zum Gipfel. Hier sollte des Königs letztes Traumschloß entstehen. In ihm wollte er all seine Wünsche und Vorstellungen verwirklicht sehen, die in Neuschwanstein baulich und künstlerisch nicht mehr möglich waren.

Von diesem Traum sind Skizzen und Pläne überliefert, die einen Einblick in die Kunst- und Gedankenwelt des einsamen Königs geben. Wie König Ludwig II. selbst war, so wollte er leben und wohnen: hoch über der Alltagswelt, auf unnahbaren Höhen, über sich nur die Unendlichkeit des Himmels. Weit und allumfassend sollte der Blick sein auf die Gipfel der Bayerischen und Tiroler Alpen am Horizont, auf die Pfrontener Berge im Vordergrund und auf das schöne Allgäuer Voralpenland mit Wäldern, Dörfern und Seen.

Prinz Ludwig wurde am 25. August 1845 als erster Sohn des Kronprinzen Maximilian und seiner Gattin Marie geboren. Sein Großvater, König Ludwig I., übernahm die Patenschaft. Am 20. März 1848 dankte dieser zugunsten seines Sohnes Maximilian II. ab, der nun König wurde; Ludwig wurde Kronprinz. Im gleichen Jahr, am 27. April, kam sein Bruder, Prinz Otto, zur Welt.

In den Kindheits- und Jugendjahren verbrachten Ludwig und Otto mit ihren Eltern die Sommermonate häufig auf Schloß Hohenschwangau. Ihre Mutter, Prinzessin Marie von Preußen, liebte die herrliche Landschaft und ihre Bewohner; sie wurde nicht müde zu wandern und Gipfel um Gipfel zu ersteigen.

Ludwigs Phantasie fand an den reich bebilderten Wänden des Schlosses Hohenschwangau üppige Nahrung. Häufige Besuche der umliegenden Burgruinen, die er mit seiner Mutter vornahm, verstärkten sein visuelles Empfinden. Besonders beeindruckt war er von der Burgruine Falkenstein, als er diese bei einem seiner Besuche in Pfronten von Schönbichl (Abb. Seite 16) aus sah.

Während Prinz Otto gerne mit Zinnsoldaten spielte, fügte der um drei Jahre ältere Ludwig am liebsten Bauklötze zu phantasievollen Palästen zusammen.

Am 10. März 1864 starb überraschend König Maximilian II., und Ludwig mußte den beabsichtigten Besuch der Universität aufgeben. Der hochaufgeschossene Jüngling wurde mit 18 1/2 Jahren am 10. März 1864 König.

Er wollte nur nach dem Guten, Schönen und Wahren streben, und so flogen dem jungen Monarchen die Herzen seines Bayerischen Volkes zu, das damals über viereinhalb Millionen zählte.

Ausgerechnet Ludwig II., ein durch und durch friedliebender Herrscher, der den schönen Künsten stets zugetan war und der jegliches Blutvergießen verabscheute, wurde hineingezogen in das Getümmel zweier Kriege.

Der Krieg Preußens gegen Österreich und Bayern 1866 (der König wollte zurücktreten, als ihn die Minister und Heerführer bedrängten, die Mobilmachung zu unterschreiben) war sehr schnell entschieden. Nach der Niederlage der Österreicher bei Königgrätz am 3. 7. 1866 wurden die Bayern bei Kissingen geschlagen und über den Main zurückgedrängt. Bismarck diktierte einen »milden« Frieden: Bayern verlor zwei Bezirksämter, zahlte 30 Millionen Gulden Kriegsentschädigung und mußte ein geheimes Schutz- und Trutzbündnis mit Preußen schließen.

Der Krieg mit Frankreich 1870 beendete für Bayern den vierjährigen Zustand scheinbar uneingeschränkter Souveränität. Bismarcks Reichsgründung war erst perfekt, als er Ludwig II. dazu gewann, dem Preußenkönig nach dem Sieg über Frankreich die deutsche Kaiserkrone anzutragen.

Der König spürte, daß unter der Führung Bismarcks, dem Schöpfer des geeinten Deutschlands, den er insgeheim hoch schätzte, der künftige Weg geprägt sein würde von Materialismus und Militarismus.

Ludwigs Idealvorstellungen und die Wirklichkeit wichen weit voneinander ab. Richard Wagner, der hochverehrte Freund, mußte auf sein Bitten hin München verlassen. Der Krieg gegen Preußen war verloren. Preußens Sieg über Frankreich brachte ihm, dem Mitsieger, die Demütigung des »Kaiserbriefes« und machte die Bayerische Krone fast wertlos.

Diese bitteren Enttäuschungen veranlaßten Ludwig, mehr und mehr die Staatsgeschäfte zu vernachlässigen. Er begann, sich der realen Welt zu entziehen und träumte von phantastischen Zielen, die in der Wirklichkeit längst keine Geltung mehr hatten.

Fast ausschließlich widmete sich der König nun dem Bau seiner Schlösser: Linderhof im stillen Graswangtal bei Oberammergau, Schloß Neuschwanstein, die »Gralsritterburg«, die auf den Grundmauern der mittelalterlichen Burgruine Vorder- und Hinterhohenschwangau unweit des elterlichen

Schlosses erbaut wurde, und Schloß Herrenchiemsee, die Nachbildung von Versailles als Symbol des absoluten Königtums.

Menschenscheu und zurückgezogen lebte er meist in den Schlössern Berg und Hohenschwangau; in seiner Residenz in München hielt er sich nur äußerst ungern auf. Zunehmend gab er seiner Bauleidenschaft nach und verlieh so seiner Auffassung vom Königtum Ausdruck in seinen Bauten. Er wollte sich seine eigene Welt schaffen, die nur ihm gehören sollte. Nichts hinderte ihn daran, aus eigener Kraft und Initiative schöpferisch tätig zu sein und zu zeigen, welches hohe Maß an idealistischer Vorstellungskraft ihm innewohnte.

Des Königs inneres Glück – aber auch sein finanzieller Untergang – waren seine Schlösser. Mit solcher Phantasie und Großzügigkeit planend, mit der letzten Selbsthingabe dem Schönen dienend, hätte er über nie versiegende Geldquellen verfügen müssen. 1875 war das Privatvermögen aufgebraucht und die ersten Schulden entstanden; ab 1880 fing die Finanzlage an, bedrohlich zu werden.

Oft wird übersehen, daß der König zur Finanzierung seiner Bauvorhaben keine Staatsmittel verwenden konnte (über diese entschied bereits damals der Landtag). Vielmehr verfügte er nur über seine Privatmittel, die aus einer sogenannten Zivilliste

gespeist wurden. Das war eine dem Landesherrn verfassungsmäßig durch Geset[z] zustehende Geldrente, welche dem königl[i]chen Haushalt jährlich vom Landtag zuge[-] wiesen wurde. Sie bildete eine Art Priva[t-] schatulle und war für die persönlichen Be[-] dürfnisse des Königs einschließlich seine[r] Repräsentation und Hofhaltung bestimm[t.] Verwaltet wurde sie durch die königlich[e] Hof- und Kabinettskasse.

Anfänglich betrug die Zivilliste jährlic[h] 2 350 580 Gulden (wovon der abgedank[te] König Ludwig I. bis zu seinem Tode jährlic[h] 500 000 Gulden erhielt). Nach der Umste[l-] lung auf die reichseinheitliche Goldmar[k-] währung 1876 wurde sie auf 4 231 00[0]

Abb. Seite 22
Die Könige von Bayern aus dem »Münchner Kalender 1898«.

Abb. Seite 24
Die Prinzen Ludwig (links) und Otto auf einem Gemälde von Friedrich Hohbach, um 1853.

Abb. Seite 25 rechts
König Ludwig II. auf einer Fotografie von Joseph Albert, um 1883.

Abb. Seite 25 unten
König Maximilian II. mit seiner Gemahlin Marie und seinen Kindern Ludwig (links) und Otto. Fotografie von Joseph Albert, um 1860.

Mark festgesetzt. Ferner floß dem König der Ertrag des Familienvermögens (Fideikommiß) zu in einer Größenordnung von jährlich etwa 250 000 Gulden bzw. 430 000 Mark. Und schließlich war Ludwig II. zeitweilig ein Nutznießer des von Bismarck verwalteten sogenannten Welfenfonds.

1883 äußerte Ludwig II. den Wunsch, ein Schloß im gotischen Stil an Stelle der mittelalterlichen Burgruine Falkenstein bei Pfronten zu errichten. Der Bühnenmaler Christian Jank erhielt den Auftrag, eine Ansicht zu entwerfen. Da dieser den Falkenstein nie selbst gesehen hatte, diente ihm als Vorlage eine Lithographie der Burgruine Falkenstein (Abb. Seite 9) nach einer Zeichnung von Domenico Quaglio, die um 1830 entstanden war. Noch im gleichen Jahr legte der Maler die Idealansicht einer mit vielen Türmen und Zinnen versehenen Schloßanlage vor. Diese malerische Vedute sollte nur die Phantasie des Königs anregen und war nie ein ernstgemeinter Bauvorschlag.

Der langjährige Leiter der königlichen Bauunternehmungen, Oberhofbaudirektor von Dollmann, arbeitete Anfang 1884 die ersten Pläne aus. Eine kolorierte Ansicht (Abb. Seite 29) und zwei Grundrisse (Abb. Seite 28 links oben und unten) zeigen einen Bau, dessen bescheidene Dimensionen sich an den erhaltenen Grundmauern der Ruine orientierten. Mit Sicherheit war diese sparsame Planung auf den Druck der Hofbauintendanz und der verschiedenen Hofsteller zurückzuführen, da zu diesem Zeitpunkt die königliche Kabinettskasse bereits hoffnungslos überschuldet war. Durch den Bau von Neuschwanstein und Herrenchiemsee war die finanzielle Lage bereits aussichtslos. Die Verbindlichkeiten der Kabinettskasse beliefen sich auf annähernd 7 Millionen Mark.

Abb. Seite 26
Ludwig II. auf einem Ölgemälde von Gabriel Schachinger als Großmeister des Hausritterordens vom Heiligen Georg, 1887.

Abb. Seite 27
Das erste Phantasiebild für ein »Schloß auf dem Falkenstein« wurde 1883 vom Theatermaler Christian Jank als Vedute im Auftrag von König Ludwig II. erstellt.

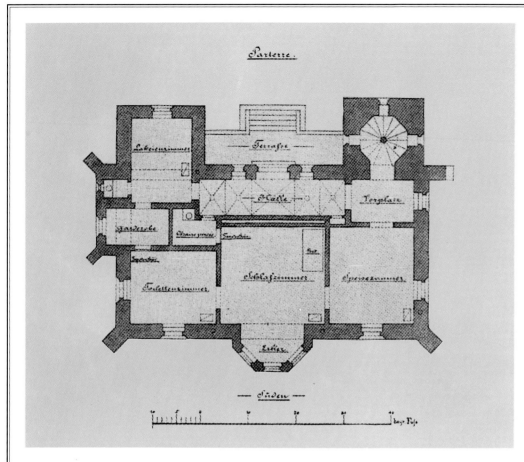

Parterre.

Süden

Abb. Seite 28 links oben und unten
Die ersten Grundrißskizzen für eine bescheidene Burg auf dem Falkenstein von Oberhofbaudirektor Georg von Dollmann aus dem Jahre 1884 fanden beim König keinerlei Gefallen. Die Pläne zeigen die Königswohnung im Erdgeschoß (Abb. oben) und einen großen Saal im 1. Stock (Abb. unten).

Abb. Seite 28 rechts oben
Erste Erweiterungszeichnung von Georg von Dollmann.

Abb. Seite 28 rechts unten
Bleistiftskizze von Georg von Dollmann, 1884 Erweiterung der Burg Falkenstein mit Fahrstraße.

Abb. Seite 29
Den Aquarell-Vorentwurf einer bescheidenen Burg auf dem Falkenstein erstellte Georg von Dollmann 1884 in Abstimmung mit den Grundrißplänen Abb. Seite 28 links oben und unten.

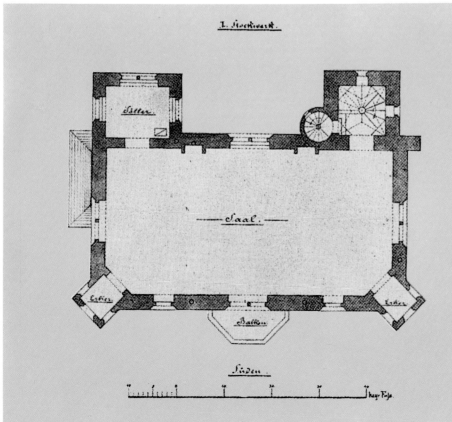

I. Stockwerk.

Saal.

Süden

nter solchen Voraussetzungen mußte von Dollmann versuchen, das neue Bauprojekt eines Königs so bescheiden wie möglich zu alten. Wegen des architektonischen Sparprogrammes« kam es zwischen König Ludwig und seinem Architekten zum erwürfnis. Von Dollmann legte noch zwei erweiterungszeichnungen (Abb. Seite 28 echts oben und unten) vor, die ebenfalls eit entfernt von den Vorstellungen des in anz anderen Dimensionen denkenden Königs waren.

udwig II. setzte nun sein ganzes taktisches Geschick ein, um das Falkenstein-Projekt urchzuführen. Hier zeigt sich, welche geiige Klarheit der König bei der Einschätung von kritischen Situationen besaß und welche Energie er freizusetzen vermochte, um seine Ideen und Pläne durchzusetzen. Die vorgelegten Entwürfe von Dollmanns bewiesen ihm, daß er mit der Unterstützung seines Hofsekretariats und der Hofbauintendanz aufgrund der schlechten Finanzlage nicht rechnen konnte. Am 1. September 1884 wurde von Dollmann seiner Stellung enthoben und durch seinen langjährigen Mitarbeiter Julius Hofmann ersetzt.

Auf den Rat von seinem engsten Vertrauten, dem Stallmeister Hornig, beauftragte Ludwig II. Max Schultze aus Regensburg, der in Diensten der Fürsten Thurn und Taxis stand, mit der Planung. Dieser nahm den Auftrag an.

Abb. Seite 30
üdostansicht Schloß Falkenstein, Planungseichnung von Oberbaurat Max Schultze, 1884.

Abb. Seite 31 links
opografische Grundrißaufnahme des Falkenein-Gipfels mit Planskizze der Schloßanlage amt Wachtturm und Umfassungsmauer. Max chultze, Ende 1884.

Abb. Seite 31
Planung von Oberbaurat Max Schultze, Regensburg 1884: Grundriß des Erdgeschosses von Schloß Falkenstein mit den Dienstbotenund Wirtschaftsräumen.

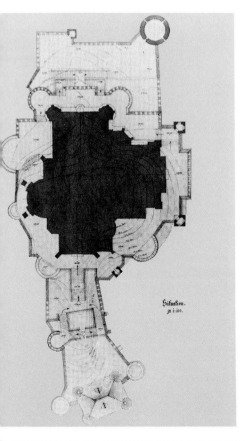

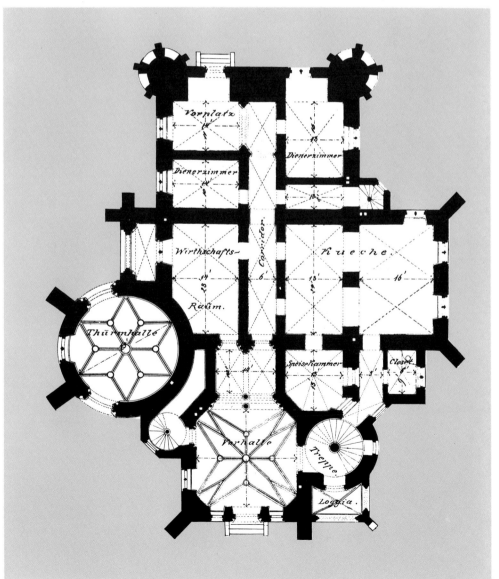

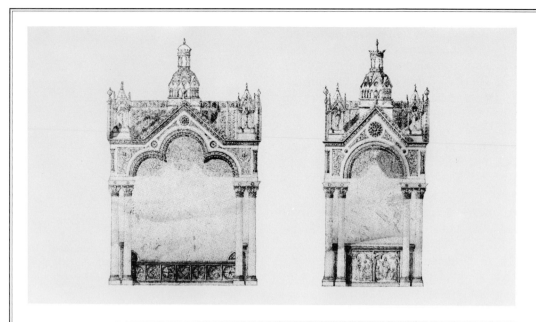

Abb. Seite 32 oben
Entwurfszeichnung von Max Schultze, 1885
Vorder- und Seitenansicht des Königsbettes mit
Baldachin.

Abb. Seite 32 unten
Grundriß der Königswohnung im 1. Stock.

Abb. Seite 33
Die Südwestansicht des Schlosses Falkenstein.
Planungszeichnung von Oberbaurat Max
Schultze, Regensburg 1884.

Zur gleichen Zeit und mit großer Heimlichkeit wurde der Kauf der Burgruine Falkenstein betrieben. Am 4. Mai 1884 schrieb Hornig an den König: »... Wegen des Falkenstein, der wundervollste Punkt des Allgäus, müßten wegen der Erwerbung des Grundes heimliche Unterhandlungen eingeleitet werden. Ich könnte Herrn Hauptmann Gresser, als die findigste und verläßlichste Person ... in Vorschlag bringen ...«.

Schon sehr bald nahm dieser mit den Ortsgemeinden Pfronten-Steinach / Ösch, in deren Besitz sich der Falkenstein samt Ruine befand, Verhandlungen auf. Am 16. Mai 1884 fertigte der Königliche Notar Johann Baptist Paul Riebel aus Füssen in Pfronten-Heitlern im Haus Nr. 432 die Kaufurkunde

aus. Es waren vor ihm erschienen Herr Hermann Gresser, Königl.-Bayerischer Artillerie-Hauptmann aus München, sowie der Ausschuß der Ortsgemeinde Steinach, bestehend aus Georg Scholz, Ökonom und Gemeindecassier aus Ösch, Leo Hörmann, Goldarbeiter, Josef Brunhöfer, Ökonom, Johann Baptist Haf, Ökonom, Alois Eberle, Schreinermeister, sämtliche aus Steinach. Ferner war der Bürgermeister der Gemeinde Steinachpfronten, Herr Jacob Reichart, anwesend, der den Ausschuß der Ortsgemeinde bestätigte.

»Herr Hermann Gresser kauft aus der Flur-Nr. 373 jenen Teil, welcher sich von oben, wo zur Zeit noch eine Ruine steht, bis zum Beginn des anstehenden Waldes erstreckt

und rings um diesen Bergkopf nach de[m] Plan-Nr. 663 führt. Die verkaufte Fläch[e] muß noch vermessen werden, um die richt[i]ge Grenze zu bestimmen. Die Ruine gehö[rt] selbstverständlich zum Kaufobjekt. De[r] Kaufpreis beträgt 500 Mark.«

Somit wurde Hermann Gresser im Auftra[g] des Königs Besitzer des Falkenstein. Jeg[li]ches öffentliches Aufsehen konnte vermie[den] werden. Am 25. Mai 1884 meldet[e] Stallmeister Hornig dem König: »... Gre[s]ser nach vollkommener Erledigung seine[r] Mission wieder in München eingetroffe[n] ...«. Er hatte seine Aufgabe zur vollsten Zu[friedenheit des Königs durchgeführt. So[g]leich wurden Anordnungen für den Wege[bau zum Falkenstein getroffen.

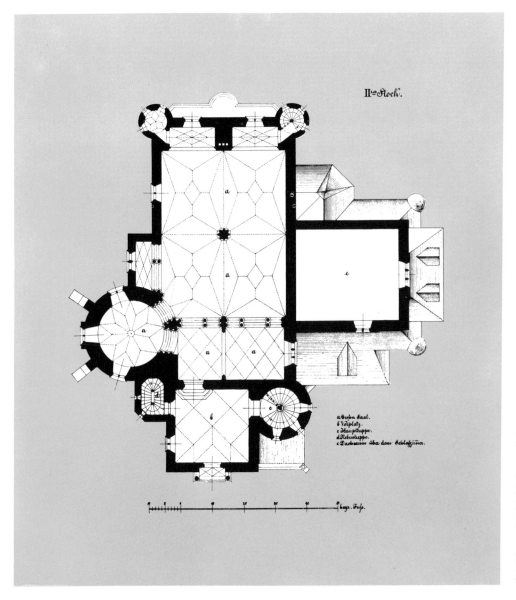

II^ter Stock.

a Großer Saal.
b Vorplatz.
c Haupttreppe.
d Nebentreppe.
e Dachraum über dem Schlafzimmer.

Bayr. Fuß.

Abb. Seite 34
Grundriß des geplanten Festsaales im 2. Stock.

Abb. Seite 35 oben
Königliches Schlafzimmer.
Perspektivische Zeichnung, Ansicht der Eingangswand und der Bettnische.

Abb. Seite 35 unten
Festsaal im 2. Stock, perspektivische Zeichnung von Max Schultze, 1884.

Die Straße bis zum Gipfel sollte bis zum Sommer befahrbar sein. Die Ortsgemeinde Meilingen gab gemeinsam mit 14 Eigentümern von Grundstücken am Falkenstein am 24. Juli 1884 die Einwilligung, behielt sich aber ausdrücklich das Mitbenutzungsrecht, insbesondere für Viehtrieb, vor. Die Straßenführung sollte größtenteils der alten, bestehenden Trasse folgen.

Für Grundstücksabtretungen und gefällte Bäume zahlte Bauführer Adlmannseder im November 2 631,66 Mark an die einzelnen Eigentümer. Der Betrag wurde dem Neuschwanstein-Etat entnommen. Auch die mehr als 60 Arbeiter, die ab Juli 1884 mit der Erbauung des Weges beschäftigt waren, wurden aus der Neuschwanstein-

Finanzierung bezahlt, da der König noch nicht offiziell der Besitzer des Falkenstein war und auch noch kein Baubetriebs- und Finanzierungsplan existierte.

Durch diese Verschleierungspolitik erreichte der König, daß die Straßenbauarbeiten – eine Voraussetzung für den späteren Schloßbau – zügig vorangingen und daß an den Planentwürfen nach seinen Ideen bereits gearbeitet werden konnte.

Die Gewährung des Darlehens durch ein Bayerisches Bankenkonsortium in Höhe von 7,5 Millionen Mark an die Kabinettskasse am 3. Juni 1884 ermöglichte, die Lieferantenschulden zu bezahlen. An allen Bauprojekten wurde daraufhin zügig weitergearbeitet.

Nun konnte das Versteckspiel um den Schloßbau auf dem Falkenstein aufgegeben werden. Am 10. 12. 1884 beauftragt Ludwig II. die Kabinettskasse, »... die Burgruine Falkenstein mit Umgebung Plan-Nr 663 1/2 zu 1 Tagwerk 27 Dezimalen zum Preise von fünfhundert Mark auf Rechnung dieser Meiner Kabinettskasse als Privateigenthum für Mich käuflich zu erwerben, alle sonstigen Kaufsbedingungen mit der k. b. Artilleriehauptmann a. D., Hermann Gresser, Meinem nunmehrigen Hofsekretär, als dem bisherigen Besitzer, zu vereinbaren ...«.

Abb. Seiten 36, 37, 38, 39
Wandgemälde im Festsaal. Entwürfe von Hermann Kaulbach mit Szenen aus dem »Orlando Furioso« von Ariost.

Max Schultze fec. 1885.

Der Kauf erfolgte am 27. Dezember 1884. Am 31. Dezember 1884 bestätigte das Kgl. Amtsgericht Füssen, daß die Flur-Nr. 663 ½ folienfrei vorgetragen sei (Abb. Seite 66). Die Eintragung im Katasterblatt auf den Namen des Königs fand am 2. April 1885 statt.

Dem Schriftverkehr zwischen dem Hofsekretariat und der Installationsfirma Wachter und Morstadt ist folgender Auftrag zu entnehmen: »Das Königlich-bayerische Hofsekretariat bevollmächtigt aufgrund Allerhöchsten Befehls Sr. Majestät des Königs hiermit den Herrn Zivilingenieur Albert Heinrich Wachter, Inhaber der Firma Wachter und Morstadt in München, die zum Zwecke der Herstellung einer Wasserleitung zur Burgruine Falkenstein bei Pfronten mit Grundeigentümern bereits geschlossenen Verträge notariell verlautbaren zu lassen.«

Der Kostenvoranschlag für die Wasserleitung und das Pumpwerk belief sich auf 45 000 Mark. 1885 wurde von der beauftragten Firma die Wasserleitung gebaut und die Pumpanlage installiert. Das Wasserhaus an der Faulen Ach bestand aus massivem Kalksteinmauerwerk und war mit farbigen Bleiglasfenstern geschmückt. Die beiden über ein Wasserrad angetriebenen Pumpanlagen förderten mit einem Druck von 50 Atmosphären in der Minute 24 Liter Trinkwasser zur 500 m höher gelegenen Burgruine.

Abb. rechts
Vorentwurf des königlichen Schlafzimmers. Aquarell über Feder von Max Schultze, Figuren von August Spieß, 1884 / 85. Perspektivische Ansicht von Norden.

43

Der Architekt Max Schultze hatte in einer in Regensburg angemieteten Wohnung ein regelrechtes Falkenstein-Planungsbüro eingerichtet. Er stellte den Architekten Heinrich Vogt aus München ein, den Techniker Franz Lütke und bald darauf noch einen dritten Mitarbeiter, um die Vielfalt der Planungsaufgaben bewältigen zu können. Der Entwurf von Wandgemälden im Schlafzimmer und im Arbeitszimmer wurden August Spieß übertragen, der schon in Neuschwanstein Wandgemälde ausgeführt hatte. Josef Munsch sollte die Wände des Speisezimmers mit Jagdszenen gestalten. Für den Entwurf und die Ausarbeitung der Fresken im großen Saal wurde Hermann Kaulbach verpflichtet.

In der Zwischenzeit arbeitete Max Schultze seine ersten Entwürfe aus. Weit weg von München und all den Hofintrigen und unbeeinflußt von den Gerüchten über die finanzielle Lage der Kabinettskasse konnte er sich voll und ganz auf die Planung konzentrieren. In Verbindung mit seinen ersten Entwürfen legte er dem König einen umfassenden Bericht vor, in dem er seine architektonischen Vorstellungen wie folgt beschrieb:

Das Bauwerk sollte in möglichste Übereinstimmung mit seinen landschaftlichen Gegebenheiten gebracht werden. Dies bedeutete eine nur mäßige Ausdehnung des Grundrisses. Zur Gewinnung des entsprechenden Bauplateaus sollte der massive Felsuntergrund um ca. 10 Fuß (ca. 3,3 m) abgetragen werden. Die stark abfallenden Geländepartien eigneten sich zur Anlage von Terrassen. Diese sollten durch Treppenrampen untereinander verbunden und durch eine umlaufende Schildmauer mit Türmchen und halbrunden Bastionen zusammengefaßt werden.

Auf dem schmalen Grat von Osten her, der einzigen Zugangsmöglichkeit zum Schloß, war ein runder, freistehender Torturm m[it] vier Ecktürmchen vorgesehen. Durch d[ie] Größe und den Zuschnitt des Bauplatea[us] ergab sich die Grundrißgestaltung:

Der Hauptbau mit 3 Stockwerken erstrec[k]te sich als ein Rechteck von Ost nach We[sten.] Auf der Südseite sollte ein mächtiger, für[f]stöckiger Rundturm das Satteldach d[es] Hauptgebäudes weit überragen. Geschic[kt] nutzte Schultze einen Felsvorsprung daz[u] aus, einen Quertrakt anzulegen. An d[er] Nordseite des Palas ließ sich ein rund[er] Treppenturm einplanen, der das Erdg[e]schoß mit den königlichen Gemächern un[d] dem Festsaal im 2. Stockwerk verband. A[ls] Baumaterial für das Bruchsteinmauerwe[rk] war der marmorähnliche Kalkstein des a[b]getragenen Gipfels vorgesehen. Lediglic[h] die Gesimse sowie die Fenster- und Tü[r]rahmen sollten vom Hohenschwangau[er] Steinbruch »Alter Schrofen« herbeig[e]schafft werden. Die Umfassungsmauer[n]

sollten rauh und unregelmäßig bearbeitet werden, da ein optisch schöner Übergang vom natürlichen Felsen zur Architektur des Schlosses, die dem gotischen Stil nachempfunden war, geschaffen werden sollte.

Abb. Seite 42
Schloß Falkenstein, Ansicht von Norden. Federzeichnung von Max Schultze 1885. Die Turmspitze ragt 60 m über die Eingangsebene hinaus.

Abb. Seite 43
Königliches Schlafzimmer.
Aquarell über Feder von Max Schultze mit Figuren von August Spieß, 1884. Perspektivische Ansicht von Thronsaal und Bettnische.

Abb. Seite 44
Königliches Schlafzimmer.
Sepia-Zeichnung von Max Schultze, 1885. Aufriß der westlichen Längswand mit Bett und Waschtisch.

Abb. Seite 45
Thronsessel mit Baldachin im Schlafzimmer des Königs.
Sepia-Zeichnung von Max Schultze, 1885.

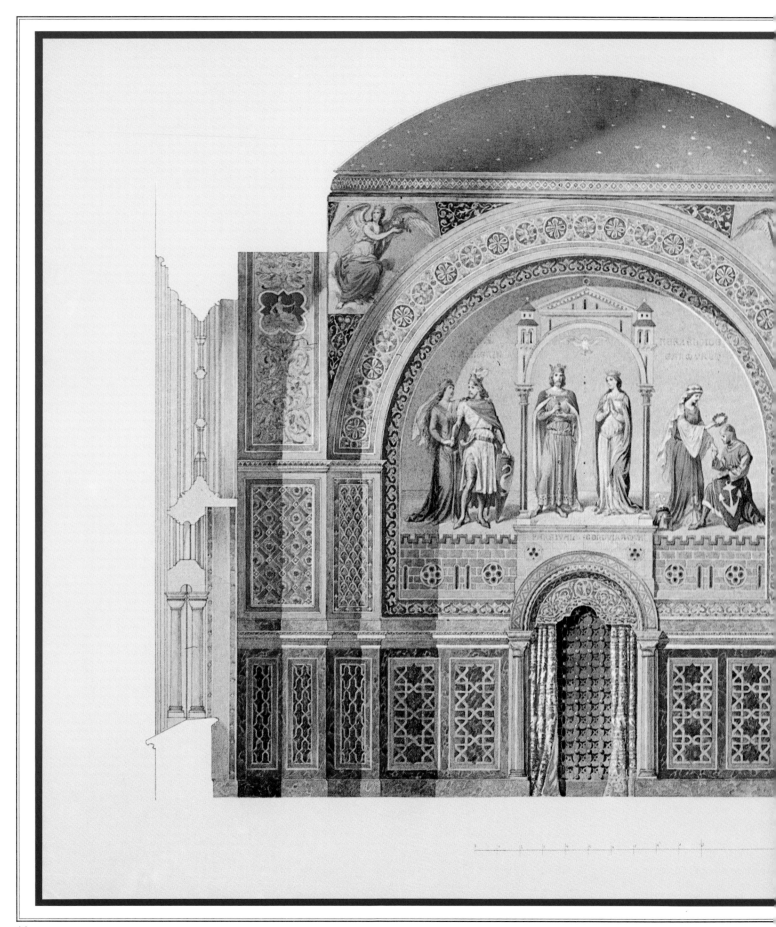

Bereits die Grundrisse der einzelnen Stockwerke lassen erkennen, daß der König sich mehr und mehr aus der realen Welt zurückzog.

Im Erdgeschoß waren außer der Küche und den Wirtschaftsräumen nur zwei Räume für die Dienerschaft vorgesehen. Eine Wendeltreppe verband die Vorhalle mit den königlichen Wohnräumen. Diese führten von einem Vorsaal in das Speisezimmer und von dort aus in das Arbeitszimmer. Der größte Raum in diesem Stockwerk war das Schlafgemach des Königs. Im obersten Stockwerk sollte der Festsaal dem großen Saal der Albrechtsburg bei Meißen nachgebildet werden. Gästezimmer für den Hofstaat, wie in den anderen Schlössern so reichlich vorhanden, wurden nicht mehr eingeplant. Der König suchte bereits die Einsamkeit und floh vor der Wirklichkeit. Nur er allein wollte der Bewohner dieses Schlosses sein.

Der Falkenstein nahm nunmehr in seinem Leben und in seiner Gedankenwelt einen dominierenden Platz ein; oft kam er bei seinen abendlichen Ausfahrten von Neuschwanstein hierher. Folgende Schilderung davon wurde überliefert: »Auf dem neuen Fahrweg ging es hinauf durch den Wald – die Pferde schnauben – die Fackeln werfen den Schein über den kahlen Fels des Falkenstein. Der König entsteigt seinem Zaubergespann. Langsamen Schrittes geht er zu den altersergrauten Mauern der Ruine, läßt sich nieder, stützt den Kopf in seine Hände, um in der Stille der silbergrauen Mondnacht traumverloren ins Weite zu schauen. Der Morgen dämmert; die ersten Vogelstimmen werden laut, die Sonne steigt langsam hinter dem Ammergebirge in den neuen Tag. Da nähern sich die Begleiter dem König; er sieht sie an, fremd und erstaunt, als weile er noch in fernen Welten. Einen grüßenden Blick noch sendet der König hinüber zur erwachenden Sonne, dann erhebt er sich und besteigt sein Gefährt. Die Vorreiter traben an, Osterholzner mit kundiger Hand läßt den unruhigen Pferden die Zügel – und talwärts geht der Zauberzug, geradewegs der Sonne entgegen nach Neuschwanstein.«

Für viele war es unbegreiflich, daß Ludwig II. in unmittelbarer Nähe von Schloß Hohenschwangau und dem neuerbauten, gewaltigen Neuschwanstein ein weiteres Schloß errichten wollte. Der königliche Bauherr wollte mit Falkenstein eine andere Form eines Königsschlosses verwirklichen, das im Zusammenhang mit und in Ergänzung zu Neuschwanstein gesehen werden muß. Hier sollten die romantischen Inhalte des Mittelalters dargestellt werden. Die vorgesehenen Wandmalereien in den Wohngemächern des Königs mit den Szenen des Lebens auf einer Ritterburg könnten durchaus die Fortsetzung der Fresken in Hohenschwangau und Neuschwanstein sein. Die Vermutung liegt nahe, daß Ludwig II. all das, was in Stil und Sinn in die Gralsburg Neuschwanstein nicht mehr hineinpaßte, im neuen Schloß nachzuholen wünschte.

Im September 1884 sandte Oberbaurat Schultze seine ersten Entwürfe für Falkenstein an den König, den er selbst nie zu Gesicht bekommen hatte; die gesamte Bauplanung geschah ausschließlich über Stallmeister Hornig und das Hofsekretariat. König Ludwig II. nahm im Wesentlichen das Konzept von Schultze an, befahl aber sogleich eine Änderung und Erweiterung der Innenräume. Sein Hauptinteresse galt von Anfang an dem Schlafzimmer. Der Architekt hatte dieses dem gesamten Baustil entsprechend als rechteckigen Raum geplant. Für das Königsbett war eine große Nische mit 23 x 10 Fuß vorgesehen. Der König wünschte jedoch, daß sein Schlafgemach als einziger Raum im Schloß im byzantinischen Stil erbaut werden sollte.

Abb. Seite 46 / 47
Schlafzimmer des Königs.
Aquarell über Feder von Max Schultze, Figuren von August Spieß, 1885. Aufriß der östlichen Längswand mit Bett und Hausaltar.

Abb. Seite 48 / 49
Schlafzimmer des Königs.
Aquarell von Max Schultze mit Figuren von August Spieß, 1885. Aufriß der Bettapsis und der beiden Seitennischen mit tabernakelartigem Waschtisch und Hausaltar.

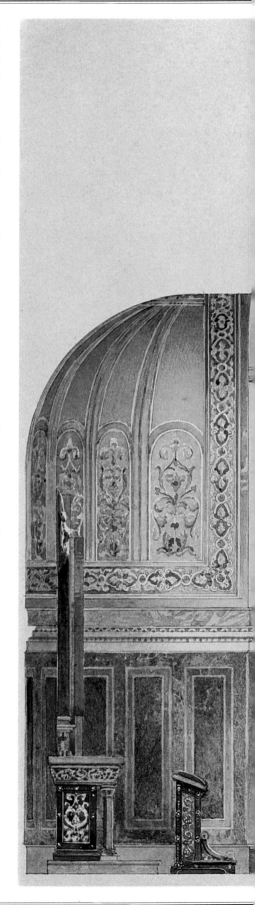

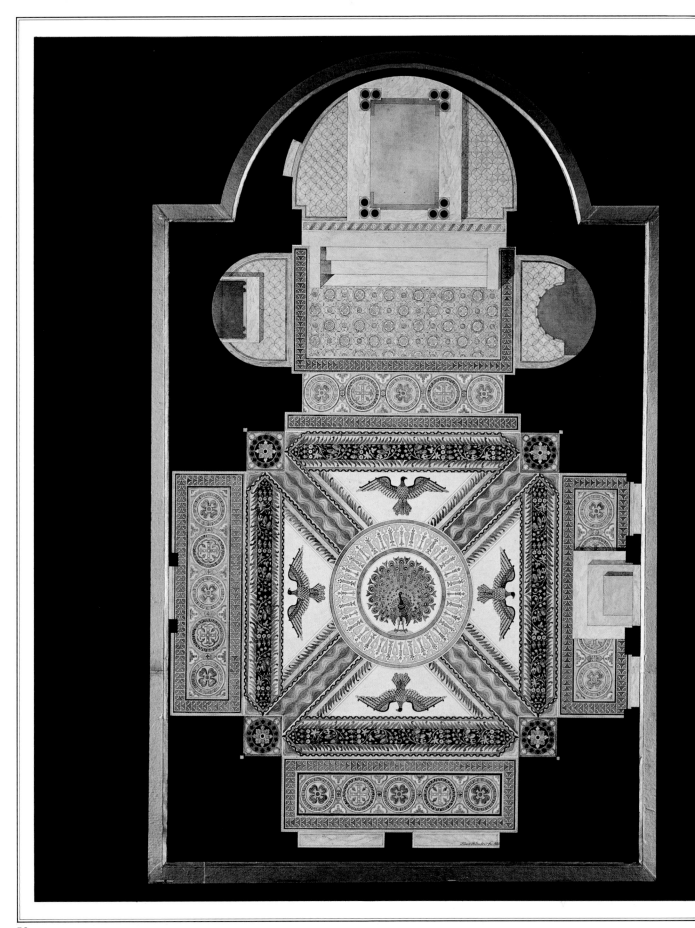

50

Entgegen seiner künstlerischen Überzeugung gehorchte Schultze und legte im Dezember des gleichen Jahres neben Grund- und Aufrissen auch eine perspektivische Ansicht vor (Abb. Seite 51): Über dem nun quadratischen Hauptraum wölbte sich eine kreisrunde Kuppel. Die Wände wurden auf drei Seiten von breiten Gurten überspannt. Auf der vierten Seite, nach Süden zu, schloß sich halbkreisförmig eine Apsis an, die mit dem Hauptraum durch einen breiten Bogen verbunden wurde. Unter einem Baldachin aus weißem Marmor, getragen von vergoldeten, gewundenen Säulen, sollte das Bett stehen. Davor schwebte an einer vergoldeten Kette das Wappentier des Schlosses, ein riesiger, aus Alabaster gefertigter Falke, auf seinem Rücken das Nachtlicht tragend. Die Wände im Hauptraum wurden mit Figuren und reich verzierten Ornamenten geschmückt. Über einem Sokkelfries aus eingelegtem Marmor sollten farbenprächtige Malereien entstehen. Themen aus Richard Wagners Werken Lohengrin, Parsival, Tristan und Isolde, Siegfried und Thannhäuser waren für die Ausgestaltung vorgesehen. In den Gewölbezwickeln waren Gemälde von überlebensgroßen Figuren der Minne, der Jungfräulichkeit, der Treue und der Aventure mit ihren jeweiligen Symbolen dargestellt. Die Kuppel sollte mit einem goldenen Sternenhimmel bemalt und der Fußboden mit verschiedenfarbigen Marmorplatten belegt werden.

Schultze hatte mit diesem Entwurf eine Raumaufteilung gefunden, die dem König zusagte und die in den Grundzügen nicht mehr verändert werden sollte. Die folgende Planung konzentrierte sich fast ausschließlich auf das Schlafgemach als Mittelpunkt der architektonischen Gestaltung, so daß das ganze Schloß um diesen Raum herumgebaut werden mußte.

Abb. Seite 50
Schlafzimmer des Königs.
Grundrißentwurf von Max Schultze, 1885. Das Fußbodenmosaik wurde nach dem Mosaik im Kaiserpalast von Byzanz gezeichnet.

Abb. Seite 51
Schlafzimmer des Königs.
Ölgemälde (65,5 x 54,4 cm) von Max Schultze mit Figuren von August Spieß, 1885. Perspektivische Darstellung von Norden mit Bettapsis und Thronsaal.

Abb. Seite 52 unten
Arbeitszimmer des Königs.
Federzeichnung von Max Schultze, 1885. Aufriß der Kaminwand und Entwurf zum Wandgemälde von August Spieß: Tanz unter der Dorflinde.

Abb. Seite 52 / 53
Arbeitszimmer des Königs.
Aquarell von Max Schultze mit Figuren von August Spieß, 1885. Perspektivische Ansicht mit Blick auf Turmzimmer (links) und Erker (rechts).

August Spieß
Max Schultze
1884

Hier kommt die Auffassung des Königs über die sakrale Stellung des Königtums voll zur Geltung. Die damit zusammenhängenden Raumvorstellungen, die in Neuschwanstein auf das Schlafzimmer, die Kapelle und den Thronsaal mit ihrer unterschiedlichen Gestaltung verteilt sind, konzentrierten sich in Falkenstein allein auf das Schlafzimmer. Bereits in Neuschwanstein war der Thron in der Apsis Herrschersitz und Altar des absoluten Königtums zugleich. Hier im Schloß Falkenstein sollte der sakrale Königsgedanke bis zur höchsten Vollendung gebracht werden, indem in der Apsis das Bett des Königs wie der Altar in einer byzantinischen Kirche prunkte.

Es ist kein Zufall, daß Ludwig II. im Thronsaal von Neuschwanstein, genau gegenüber der Apsis, die Burg Falkenstein auf dem Wandgemälde des drachentötenden Hl. Georg (Abb. Seite 63 rechts) darstellen ließ. Vom Söller des Thronsaales kann man mit bloßem Auge den Falkenstein und die Burg auf seinem Gipfel sehen. Vielleicht hatten hier die Gedanken zum Bau von Schloß Falkenstein ihren Ursprung.

Von Vorlage zu Vorlage erweiterten sich die Dimensionen, die der König vom Architekten forderte. Nur widerstrebend gehorchte dieser. Die technischen Probleme und die erheblichen Kostensteigerungen interessierten Ludwig II. nicht. Durch die befohlenen Vergrößerungen mußten fast alle Pläne neu gezeichnet werden, da sich die statischen Voraussetzungen stets änderten.

Am 31. 5. 1885 schrieb Schultze an Stallmeister Hornig, daß durch die ständigen Änderungen des Schlafzimmers bis zum jetzigen Ausmaß alle bisher gefertigten Pläne, bis auf wenige Ausnahmen, hinfällig seien. Er klagte später nochmals, daß er zwar eine ganze Reihe von angefangenen und fast fertigen Vorlagen besitze, aber keine vom König endgültig genehmigt sei.

Die optimalen Formen wurden im August 1885 erreicht. Nachdem man beim ersten Entwurf von einer Raumhöhe von 5 m ausgegangen war, betrug die Höhe bis zur Kuppeldecke des Schlafzimmers nun 42 Fuß (ca. 14 m). Die Bettnische sollte 30 Fuß (ca. 10 m) hoch werden. Die Gesamtlänge des Raumes war mit 65 ½ Fuß (ca. 22 m) geplant, und die größte Breite

sollte 42 Fuß (ca. 14 m) betragen. Der Vorraum zwischen Bettapsis und Kuppelraum hatte eine Tiefe von 21 Fuß (ca. 7 m). Hier waren zwei Seitenkuppeln eingefügt für einen Waschtisch und einen byzantinischen Flügelaltar. Die Anordnung der Säulen, welche die Gurtbögen zu tragen hatten, die Wandgliederung sowie die Ornamente, der einem Tabernakel nachgebildete Waschtisch (Abb. Seite 57 links unten) und die dazugehörigen Gefäße (Abb. Seite 57 rechts oben und unten) hatten ihre Vorbilder in der Markuskirche in Venedig. Das Madonnenbild an der Apsisrundung (Abb. Seite 48/49) hatte gleich zwei Vorlagen: die Figur der Maria entstammte einem Bild aus der Hagia-Sophia in Konstantinopel und die sie umgebenden Engel waren einer Darstellung in der Altarnische der Allerheiligen-Hofkirche in München nachgebildet. Der vorgesehene kostbare Mosaik-Fußboden aus Marmor, dessen dominierendes Motiv einen radschlagenden Pfau darstellte, war einer Beschreibung des byzantinischen Kaiserpalastes in Konstantinopel nachempfunden (Abb. Seite 50).

Um die malerischen und architektonischen Entwürfe in Einklang zu bringen, hatte Schultze ein rationelles Verfahren entwickelt. Da die Künstler unmöglich immer nach Regensburg kommen konnten, sandte er ihnen seine durchgezeichneten Pläne zu, meist Raumansichten oder Wandaufrisse. Die Künstler fügten ihre Entwürfe in die vorgesehenen Felder ein und schickten die Blätter an den Architekten zurück.

Abb. rechts
Arbeitszimmer des Königs.
Wandaufriß von Max Schultze, 1885. Das Gemälde von August Spieß auf der Wand zum Speisezimmer stellt den Überfall auf einen Warenzug dar.

Dieser nahm dann die endgültige Ausarbeitung der Farben vor. Die dem König vorgelegten Ansichten der figürlichen Darstellungen schienen ihm weitgehend zu entsprechen. Die Themen für die Gemälde in den verschiedenen Räumen hatte Ludwig II. selbst angegeben:

Im Arbeitszimmer sollten Szenen aus dem Ritterleben dargestellt werden, im Speisezimmer verschiedene Jagdszenen, wie das Abfangen eines Ebers und Heimkehr von der Jagd. Für den großen Saal im Obergeschoß wünschte er Darstellungen aus dem »Orlando Furioso«, dem Rasenden Roland von Ariost. Zum ersten Mal in dem literarischen Themenkatalog, aus dem Ludwig II. seine Gemälde wählte, taucht hier der Name Ariost auf. Der König kannte das im Jahre 1880 von Paul Heyse neu herausgegebene Werk, das wohl auch Kaulbach als Vorlage diente. Die künstlerische Gestaltung der einzelnen Szenen sowie deren Ausarbeitung wurde von Schultze und den

beteiligten Malern in vollkommener Eigenverantwortung ausgeführt.

Der König wollte, daß noch im Jahr 1885 der Rohbau des Schlosses auf dem Falkenstein erstellt werden sollte. Die technischen Vorbereitungen für den Bauplatz wurden bereits getroffen. Ständige Änderungs- und Erweiterungswünsche hatten jedoch zur Folge, daß die Planungsarbeiten, die immer umfangreichere und schließlich hektische Formen annahmen, weit hinter den gesetzten Terminen zurückblieben. Der ursprüngliche Bauumfang war weit überschritten, die Kabinettskasse konnte keine Mittel mehr zur Verfügung stellen und Baurat von Brandl, der den Bau als Generalunternehmer ausgeführt und vorfinanziert hätte, konnte nicht mehr zu seinen Verpflichtungen stehen. Er hatte dem Hofsekretär Gresser das Versprechen gegeben, noch im gleichen Jahr den auf eine Million Mark veranschlagten Bau des Schlosses zu vollenden, konnte diese Zusage jedoch nicht einhalten,

da sich aufgrund der Erweiterungswünsche des Königs die Kalkulation auf 3,5 Millionen Mark erhöht hatte und seine Mittel nicht so weit reichten. Im August 1885 wurde Hofbaurat Schultze schriftlich durch von Brandl über diese Situation unterrichtet.

Schultze erfuhr gleichzeitig vom Hofsekretariat, daß der Bau von Schloß Falkenstein aufgrund der finanziellen Situation in nächster Zeit nicht durchführbar sei. Daraufhin gab der Architekt den Planungsauftrag am 14. September 1885 an das Königliche Baubüro in München ab. Für seine gesamte Tätigkeit stellte er ein Honorar von 12.000 Mark in Rechnung.

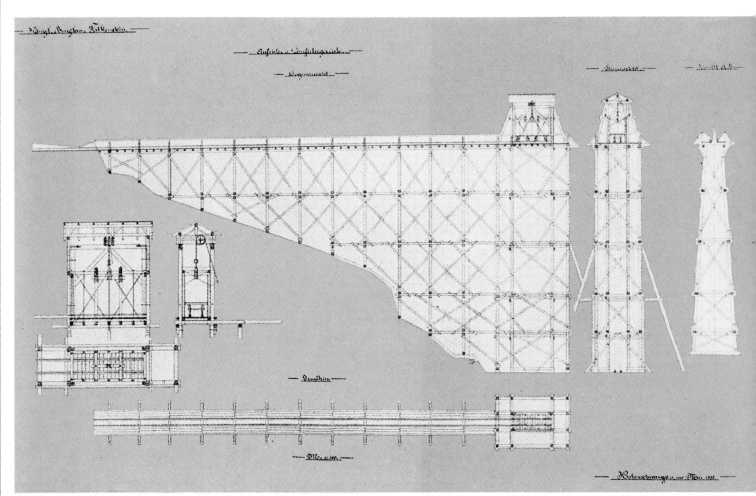

Abb. Seite 56
Konstruktionszeichnung für einen Materialauf-
zug zur Schloßbaustelle auf dem Falkenstein,
März 1886.

Abb. Seite 57 links unten
Teilansicht des königlichen Schlafzimmers.
Sepia-Zeichnung (67 x 54 cm) von Max
Schultze mit Figuren von August Spieß. Per-
spektivische Ansicht des Waschtisches mit Stän-
derspiegel links.

Abb. Seite 57 rechts oben
Entwurf eines Schwammbehälters für den
Waschtisch.
Federzeichnung von Julius Hofmann, 1886.

Abb. Seite 57 rechts unten
Entwurf einer Wasserkanne für den Waschtisch.
Federzeichnung von Julius Hofmann, 1886.

½ natürliche Größe.

KÖNIGL. SCHLOSS FALKENSTEIN
NORDSEITE.

Auf königlichen Befehl hin mußte nun Julius Hofmann – nach von Dollmanns Entlassung Oberhofbaudirektor – die Weiterführung des Falkenstein-Projektes übernehmen. Er war seit vielen Jahren mit den Vorstellungen und Wünschen seines Herrn bestens vertraut und ging die Sache schwungvoll an. Auf Kosten nahm er keine Rücksicht und legte am 16. Januar 1886 eine Serie von neuen Grundrißentwürfen vor (Abb. Seite 60 und 62). Die von Schultze stets verfochtene Beschränkung auf ein bescheiden dimensioniertes Bauplateau hatte Hofmann sofort verworfen. Durch stärkere Abtragung vom Felsuntergrund und die Erhöhung der Unterkonstruktion entstand die Fläche, die notwendig war, um die vom König geforderten Dimensionen unter Beibehaltung des bisherigen Konzeptes zu erreichen. Dies erlaubte, die Eingangshalle im Erdgeschoß mit Aufgang zur Königstreppe großzügig zu gestalten. Auch entstand Platz für mehrere Dienstbotenräume und – wie in Neuschwanstein – die Möglichkeit, ein Badezimmer mit großem, rechteckigem Becken, ein Ankleidezimmer und eine Wendeltreppe zum Schlafzimmer einzuplanen. Ein Speiseaufzug von der Küche in die königlichen Wohnräume wurde von Hofmann ebenfalls vorgesehen. Viele Details in der architektonischen Gestaltung, die Schultzes Entwürfe so reizvoll machten, wurden zugunsten einer klareren Trennung der Räume aufgegeben. Dadurch wurde der Grundriß systematischer gegliedert.

Ludwig II. ordnete an, die Kuppel des Schlafzimmers nochmals zu erhöhen. Platz für ein gemaltes Fries von Apostelfiguren sollte geschaffen werden, mit hohen Oberlichtfenstern dazwischen, um den Kuppelraum zu erhellen. Für den Praktiker Hofmann ergab sich durch die wesentlich größere Grundfläche folgende Lösung: Zwischen den Gemächern des Königs und dem Obergeschoß wurde der Abstand vergrößert und ein Zwischengeschoß eingezogen. Dadurch erreichte er die erforderliche Höhe der Kuppel des königlichen Schlafzimmers (Abb. Seite 59 unten und 64).

Im März 1886 entstanden die Nord- und Ostansicht des Schlosses. Sie stellen den letzten Planungsstand dar (Abb. Seite 58 und 61). Danach folgte nur noch der ge

nderte Entwurf für den Mosaikfußboden
es Schlafzimmers Anfang Juni 1886 (Abb.
Seite 59 oben).

Abb. Seite 58
Neue, wesentlich großzügigere Planung von
Schloß Falkenstein durch Julius Hofmann,
886. Aufriß von Norden.

Abb. Seite 59 oben
Schloß Falkenstein. Im Juni 1886 fertigte Julius
Hofmann den letzten Grundrißentwurf für das
önigliche Schlafzimmer mit Mosaikfußboden.

Abb. Seite 59 unten
Schloß Falkenstein. Letzter Entwurf für das
Schlafzimmer des Königs mit erhöhter Kuppel
ind Fries mit Apostelfiguren von Eugen Drollin-
er, 1886.

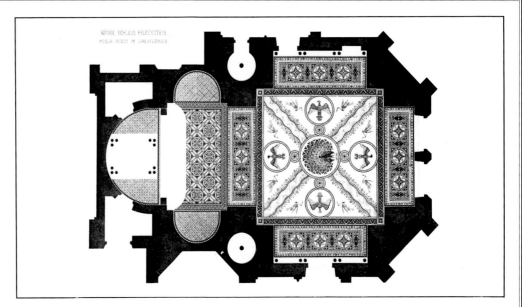

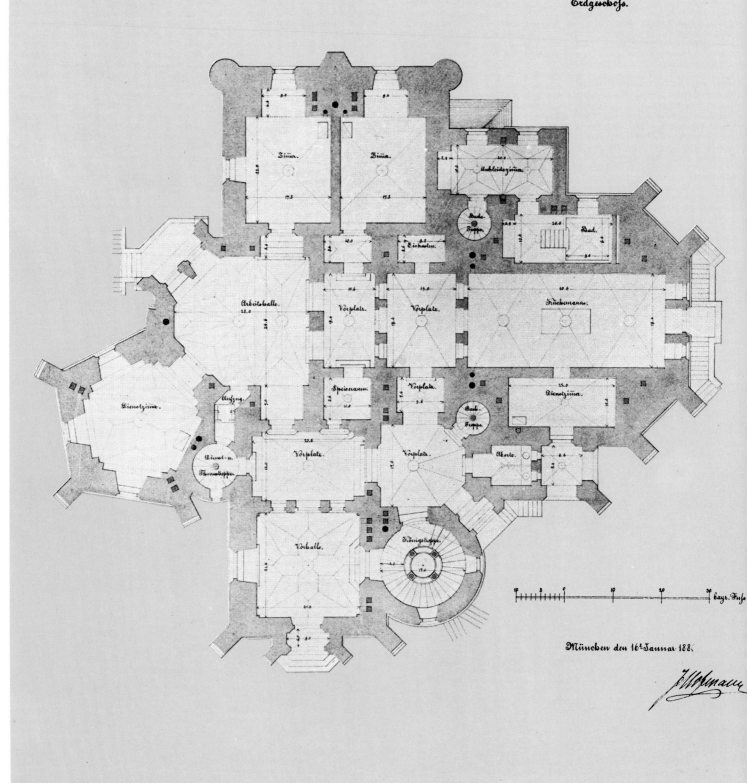

MAASSTAB 1:100

MÜNCHEN IM MÄRZ 1886.

Abb. Seite 60
Der neue, wesentlich erweiterte Grundriß von Julius Hofmann für Schloß Falkenstein, Januar 1886, enthält im Erdgeschoß eine repräsentative Eingangshalle, Königstreppe, Badezimmer des Königs mit Ankleidezimmer und Wendeltreppe zum Schlafzimmer sowie Dienstbotenräume.

Abb. Seite 61
Schloß Falkenstein. Letzte Planung von Julius Hofmann, März 1886. Aufrißzeichnung von Osten.

Königl. Burgbau Falkenstein.

I^{tes} Stockwerk.

München den 16^{t} Januar 1886.

62

Weit entfernt haben sich diese imposanten, ausführungsreifen Baupläne von den ersten, spärlichen Entwürfen Georg von Dollmanns aus dem Jahr 1884. Auch von der vom König einmal gewünschten »Raubritterburg« blieb außer einigen Gemäldevorstellungen für das Arbeitszimmer nichts mehr erhalten in den majestätischen Plänen.

Am 9. Juni 1886 wurde König Ludwig II. aufgrund eines Gutachtens der Nervenärzte ohne persönliche Untersuchung entmündigt, am 12. Juni auf Neuschwanstein verhaftet und nach Schloß Berg transportiert.

Nach dem Tode Ludwig II. am 13. Juni 1886 wurden sämtliche Planungs- und Bauarbeiten am Schloß Falkenstein eingestellt. Sein letztes wahrhaft königliches Bauprojekt, dessen Planung bis zur Baureife fortgeschritten war, blieb ein königlicher Traum.

Abb. Seite 62
Grundriß der Wohnung des Königs im 1. Stock mit Schlafgemach, Empfangszimmer, Arbeitszimmer, Turmzimmer und Speisezimmer.

Seite 63 oben
Das Modell von Schloß Falkenstein steht in Schloß Herrenchiemsee.

Abb. Seite 63 rechts
Der Heilige Georg tötet den Drachen. Wandgemälde im Thronsaal von Schloß Neuschwanstein, gegenüber der Apsis. Über dem Drachen, auf dem Gipfel des Falkenstein, das Traumschloß des Königs.

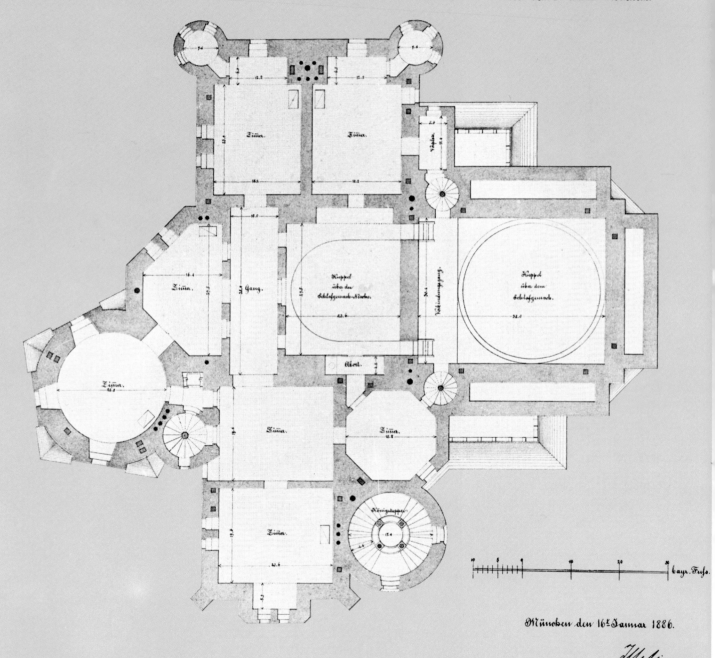

Nr 663½ Steuergemeinde Falkenstein
mit Abrundung zu dreiundsiebzig drei Zehntel Tagwerk durch Kauf
um den bezahlten Kaufpreis von

500 ℳ

fünfhundert Mark in das Allerhöchste Privateigentum Seiner Majestät des Königs Ludwig II von Bayern übergegangen
und der Allerhöchsten Königlichen Cabinetskasse mit allen Rechten, auch mit jenen, welche in oben gedachten Urkunden vom 16. Mai 1884 nachgeführt sind, zu Besitz und Eigentum übergeben sei.

Die Allerhöchste Königliche Cabinetskasse wird nach deren Kosten beglaubigte Abschrift ertheilt, zur Besitzumschreibung und weiteren Einvernahme verzichtet, und bestätigen die Herren Erschienenen mit mir dem unterzeichneten Königlichen Notare

	500 ℳ
H.g.	10,00 ℳ
Abf.	0,50 "
H.g.	4,50 "
Cap.	1,50 "
Z.g.	0,20 "
So.	16,70 ℳ
Z.	No 1105
bezahlt	

schrift, daß ihnen vor-
... vergleichen wir
... Insuldgemach

... Greser,
... Sekretär.
Zellhuber,
Schulmeister.
..., Riebel,
... Notar.

... 663 1/2 ...
... Vertrag ...
... portofrei.
... 31. Dezember 1884.
Amtsgericht.
... Martin,
... OK.

... Abschrift
... hiermit bestät.

... im alten Juni ...
...

Abb. Seite 64
Grundriß des Zwischengeschosses zwischen
dem 1. und 2. Stockwerk mit Zimmern und der
Kuppel über dem königlichen Schlafgemach.

Abb. Seite 65
Schloß Falkenstein um 1885. Das Ölgemälde
von einem unbekannten Künstler hängt heute
im Amtszimmer des 1. Bürgermeisters von
Pfronten.

Abb. Seite 66
Abschrift der Kaufurkunde für den Erwerb des
Falkenstein durch König Ludwig II.

Abb. Seite 67 links oben
Ein riesiges Schaufelrad schöpfte das Wasser
aus dem »Giessen«.

Abb. Seite 67 rechts oben
Das Pumpenhaus für die Wasserleitung auf den
Falkenstein mußte am 14. 9. 1970 auf behörd-
liche Anordnung abgerissen werden.

Abb. Seite 67 rechts unten
Im Pumpenhaus für die Wasserleitung auf den
Falkenstein, erbaut im Auftrag von König Lud-
wig II. im Jahre 1884.

Die Mariengrotte am Falkenstein

Die Mariengrotte am Falkenstein, schöner und großartiger als jene in Lourdes, ist durch ein Traumerlebnis entstanden. Im Winter 1887 / 88 muß es gewesen sein, als eine ledige Frau, die Theres aus Pfronten-Kappel, dieses tiefe Traumerlebnis hatte. Sehr deutlich muß sie die Muttergottes gesehen haben, übergroß im Schutz einer steil hochgezogenen Grotte stehend. Am nächsten Tag hat sie die Grotte und die Erscheinung der Muttergottes dem Pfarrherren Josef Stach in allen Einzelheiten geschildert, der immer erstaunter zuhörte und sie eingehend befragte. Schon sehr bald erkannte er, daß ihm diese Frau, die nie in Lourdes war und nie ein Bild der Lourdes-Madonna gesehen hatte, das Gnadenbild getreu beschreiben konnte.

Das Traumbild der Marienerscheinung hat auch den Pfarrer so tief ergriffen, daß er die Suche nach dem ebenso genau beschriebenen Platz – »dem großen Loch im Berg« – aufnahm. Dem Alpmeister Bonifaz März in Pfronten-Weißbach hat er die Grotte aus dem Traumerlebnis geschildert, und dieser hat gemeint, das müßte die obere Schafgrotte am Falkenstein sein, in der die Schafe, die ganzjährig dort oben blieben, bei Wind und Kälte einen guten, trockenen Unterstand hatten. Der Pfarrer ruhte nicht und stieg mit dem Alpmeister hinauf.

Mühsam mußten sie sich durch die Schneewehen kämpfen und sie erreichten die Grotte, in der dicht gedrängt und warm die Schafe standen. Alles war so, wie es die Theres beschrieben hatte. Der Pfarrherr hat die Grotte gefunden, die er nun zur Aufstellung des erträumten Marienbildes bestimmte.

Die große Statue aus Eschenholz, 2,80 m hoch, wurde bei dem in München tätigen Bildhauer Theodor Haf, der aus Pfronten-Ried, Haus-Nr. 217, stammte, in Auftrag gegeben. Am 3. September 1889, als die Madonna aus München am Bahnhof in Pfronten-Ried eintraf, verunglückte Pfarrer Josef Stach durch einen Sturz am Aggenstein und erlag seinen Verletzungen. So hat dieser das von ihm in Auftrag gegebene Standbild der Muttergottes in der von ihm ausgewählten Grotte selbst nicht mehr gesehen. Eine Gedenktafel am Eingang der Grotte erinnert den Besucher an den beliebten Seelsorger:

»Der hochwürdige Herr Pfarrer Josef Stach, Pfarrer in Pfronten von 1881 bis 1889, bestimmte diese Grotte zur Verehrung unserer lieben Frau von Lourdes. Die Statue, ein Werk des Pfronteners Th. Haf, Bildhauer in München, langte am nämlichen Tage hier an, an welchem der würdige Seelsorger auf dem nahen Aggenstein durch einen Sturz verunglückte und starb.«

Abb. Seite 68 links
Lourdesgrotte am Falkenstein mit Madonna von Theodor Haf.

Abb. Seite 68 rechts
Pfarrer Josef Stach.

Abb. Seite 69
Burgruine Falkenstein mit Mariengrotte und Burghotel von Süden, um 1907.

Der »Falkenstein-Sepp«

Falkensteinseppl mit der Hütte.

Stolz und luftig-frei steht die Burgruine au
dem Felsen des Falkensteins, der wie ein
wuchtiger Grenzstein nach Tirol aufrag
Geschichtsbücher künden von den wech
selvollen Geschehnissen um diese Burg
und ihre früheren Herren. Von einem gan.
anderen »Herrn des Berges« überliefen
Volksmund und spärliche Aufzeichnungen
Vom »Falkenstein-Sepp«, dem »Kohlsepp
aus Benken-Weißensee, der dort oben fas
40 Jahre als Einzelgänger und Einsiedle
hauste. Wahres und Erdichtetes, Authenti
sches und Erfundenes über dieses einheim
sche Original sind fließend geworden. Ge
blieben ist das Andenken an diese geheim
nisumwitterte Gestalt, diesen prächtigen
urwüchsigen Kerl mit zerzaustem Berg
geistbart, klarblauen Vergißmeinnicht
augen und urig-derber Wesensart, der sein
Leben in selbstgewählter Einsamkeit in de
Freiheit der Natur und »seines Berges« ver
brachte. Geblieben sind die Geschichter
und Anekdoten von ihm und um ihn.

Bei der Heuarbeit hat ihn seine Mutter, »eir
Weib wie ein Felsen«, am Falkensteinhang
im Jahre 1842 geboren, schon dadurch ein
»Besonderer«. Aus dem Geiß-Hirtenbuben
wurde ein stämmiger Bursche, der in der
70er Jahren in die Abgeschiedenheit und
Romantik des Falkensteins umzog und mi
Ziegen, Hühnern und Hunden in einem pri
mitiven Hüttenwerk in der Ruine lebte.

Ob dieser Individualist nur »aussteigen
oder wegen einer Liebesenttäuschung ent
fliehen wollte, wer weiß? Ernähren konnte
er sich von Kartoffeln, Kohlrabi und Gei
ßenmilch. In der Winterkälte legte er sich zu
den »Viechern«. Er schnupfte, spielte Zieh
harmonika und jodelte. Es wird erzählt
mancher seiner Jodler hätte die Schmugg
ler vor den Grenzjägern gewarnt. Wenn er
bei den Bauern im Tal Heu sammelte, maul
te er, wenn der Sack nicht gefüllt wurde
Auch streitsüchtig soll er gewesen sein, sol
häufig mit Gemeinde und Bürgern gezankt
haben.

Seine Stärke war das Erzählen von Ge
schichten, war das Fabulieren. Seine Eigen
arten, seine extreme Lebensweise und sei
ne Sprüche machten ihn bekannt, weit über
seinen Heimatbereich hinaus. Man wollte

n sehen, er wurde als etwas Besonderes
esucht, als Unikum bestaunt. Es gefiel ihm,
ich wichtig machen zu können.

Die große Wendung in seinem Einsiedler-
eben brachte der Erwerb des Ruinen-
rundstückes durch den Bayernkönig Lud-
vig II. Dem Sepp wurde sein Platz im alten
Gemäuer gekündigt, er mußte sich fügen.
Etwas weiter unten, auf einer Grasfläche
eines Verwandten »Wiesschuster« Nigg
us Weißensee, siedelte er sich in neuer
Hütte an, dort, wo heute das Gebirgsjäger-
Ehrenmal steht. Die Vorarbeiten zum Bau
es neuen Schlosses brachten Unruhe am
Berg. Der Straßenbau brachte dem Sepp
urzzeitig etwas Arbeit, lieber jedoch spielte
r den königlichen Kantinenwirt. Der Kö-
igstod im Jahre 1886 beendete die Bauar-
eiten, die alte Bergesruh gab es nur im
Winter; denn viele Besucher nutzten die
eue Straße, und der schlaue Einzelgänger
ah in zunehmender Kontaktfreude in der
rrichtung einer Verkaufsbude eine neue
innahmequelle.

Den Sommerfrischlern tischte er Geschich-
en aller Art auf. Auch die Geschichte der
Burg Falkenstein, oder gar jene, daß König
Ludwig mit Richard Wagner persönlich in
eine Behausung kam. »Ietzt loset!« – so be-
ann er stets. Meist vermischte er Erlebtes,
Gehörtes und Erfundenes zu Lügenge-
chichten, in denen auch gruselig wirkende
Berggeister vorkamen. Erzählt hat er viel,
as meiste war übertrieben oder verlogen.
Aber es machte ihn interessant, gehörte zu
einem Image und zu jener Atmosphäre,
mit der er sich dort oben umgab.

War er einmal krank, wie im Jahre 1901,
tellte er Kerzen oder eine Laterne ins Fen-
ter. Dies brachte Hilfe aus dem Tal. Er
annte auch Heilkräuter und benutzte sie.

Abb. Seite 70 und 71 oben
Behausung des »Falkenstein-Sepp« auf dem
Platz, an dem heute das Spielhahnjägerdenk-
mal steht.

Abb. Seite 71 unten
»Falkenstein-Sepp« mit Ziege, im Hintergrund
ie Fahrstraße zum Falkenstein.

Der Frühling 1913 wurde sein letzter. Seine Jodler und Erzählungen verstummten. Der originelle Waldschrat und schlitzohrige Kauz starb am 12. Juni auf »seinem Berg«. Dort hatte er sich selbst sein Grab geschaufelt, doch sein Wunsch, hier begraben zu werden, erfüllte sich nicht. »Hier ruht Josef Köpf, der Falkenstein-Sepp«, steht auf dem alten Stein auf dem Weißenseer Friedhof über dem See. Seine Berghütte zerfiel. Eine Säule mit Inschrift und seinem Bildoval erinnerte noch im Jahre 1970 an diesen eigenwilligen, dickköpfigen, streitbaren Romantiker und verschrobenen Märchenerzähler.

Nicht vergessen sind er und die Geschichten über ihn, vor allem bei jenen, die ihn damals und heute als einen der ihren mochten.

bb. Seite 72 links oben
er »Falkenstein-Sepp« vor der Burgruine Fal-
nstein.

bb. Seite 72 rechts oben
sterreichische Grenzaufseher.

eite 72 unten
renzaufseher aus Tirol und Bayern mit Jäger
r dem Burghotel.

bb. Seite 73
lick von Pfronten-Halden übers obere Vilstal
m Falkenstein.

Burghotel und Schloßanger

Nach dem Tod von König Ludwig II. ging die Ruine nebst Umgebung, Fahrweg, Pumpwerk und Wasserleitung auf dem Erbwege auf seinen Bruder Otto, nunmehr König von Bayern, über. Aus seinem Vermögen erwarben am 23. August 1888 mit der Genehmigung des Prinzen Luitpold – seit 1886 Verweser des Königreiches Bayern – der praktische Arzt Dr. Jacob Grahamer, der Pfarrer Josef Stach, der Gastwirt und Brauereibesitzer Theodor Doser, sämtliche aus Pfronten, den Falkenstein einschließlich

Burgruine und der von Ludwig II. gescha᷍
fenen Einrichtungen, wie Fahrstraß᷍
Pumpwerk und Wasserleitung. Am 11. M᷍
1889 ging der Falkenstein nach dem töd᷍
chen Absturz des beliebten Pfrontener Pfa᷍
rers Josef Stach an die Kemptener Unte᷍
nehmer Janck und Demeter über. Von di᷍
sen erwarben ihn am 12. September 188᷍
der Pfrontener Bildhauer Theodor Haf un᷍
der Fabrikbesitzer Friedrich Oertel au᷍
Augsburg. Als Alleinbesitzer wurde a᷍
24. November 1896 Theodor Haf i᷍
Grundbuch eingetragen.

Der Falkenstein war für all jene Gäste, di᷍
seit Jahren nach Pfronten kamen, ein b᷍
liebtes Wander- und Ausflugsziel. Beso᷍
ders nach dem Tod des verehrten Bayer᷍
königs Ludwig II. zog es viele Mensche᷍
aus nah und fern zu der Stätte, an der ᷍
sich vor seinem Tod häufig aufhielt und a᷍
dessen höchstem Punkt sein Traumschlo᷍
entstehen sollte. Die für den Schloßbau a᷍
gelegte neue Fahrstraße ermöglichte eine᷍
bequemen Aufstieg zum Falkenstein un᷍
zur Schloßanger-Alp unterhalb des Gipfel᷍

Abb. Seite 74
1907 fährt auf der von Ludwig II. erbaute᷍
Straße das erste Automobil zum Burghotel.

Abb. Seite 75 links oben
Schloßanger-Alp mit Aggenstein.

Abb. Seite 75 rechts oben
Gäste und Wirt vor dem Burghotel. Links da᷍
Wahrzeichen, der »Falke«.

Abb. Seite 75 unten
Der Wirt und Besitzer Xaver Orth, 2. von link᷍
mit Handwerkern vor dem Burghotel.

Die Vielzahl der Besucher auf der Burgruine, aber auch die Eröffnung der Bahnlinie Kempten – Pfronten am 1. 12. 1895, die ein erhöhtes Gästeaufkommen erwarten ließ, mögen den Besitzer des Falkenstein, Theodor Haf, bewogen haben, am Fuße der Ruine, nahe dem Gipfel ein Burghotel zu errichten. Wegen seinem großen Interesse am Pfrontener Fremdenverkehr wurde er am 15. Januar 1896 zum Vorsitzenden des Verschönerungsvereins Pfronten gewählt. Noch im selben Jahr begann er mit dem Bau des Hotels, das 1897 fertiggestellt wurde. Das Burghotel erfreute sich schon sehr bald großer Beliebtheit. Hohe und höchste Besucher wie S. Kgl. Hoh. Prinz Ludwig von Bayern, Königin Margaritha von Italien, S. Kgl. Hoh. Prinz Ferdinand von Bourbon, Herzog von Calabrien und seine Gemahlin mit Kindern u. a. m. trugen dazu bei, das Hotel bekannt zu machen.

Aufgrund des plötzlichen Todes von Theodor Haf am 3. August 1898 ging das Hotel in den Besitz der Hypotheken- und Wechselbank in München über.

Abb. Seite 76 links oben
Winteraufstieg zum Falkenstein, im Hintergrund Pfronten mit Edelsberg.

Abb. Seite 76 rechts oben
Anfänge des Skilaufes auf der Straße auf den Falkenstein.

Abb. Seite 76 unten
Eisgewinnung am Burghotel für den Eiskeller.

Abb. Seite 77 oben
Blick von der Ruine auf das Burghotel mit Aussichtspavillon.

Abb. Seite 77 unten
Die Fahrstraße zum Burghotel wird freigeschaufelt, 1905.

Am 15. September 1903 wurde das gesam
te Objekt von dem Forst- und Jagdverwal
ter Xaver Orth aus Starnberg käuflich er
worben. Xaver Orth ließ einige Umbau- und
Verbesserungsarbeiten am Hotel vorneh
men. Er und seine Frau Elisabeth zählten zu
den rührigsten Besitzern des Falkenstein
und erfreuten sich bei den vielen Gästen
allergrößter Beliebtheit. Alle drei Töchter
des Ehepaares Orth erblickten das Licht
der Welt auf dem Falkenstein und wurden
in der Mariengrotte getauft.

1918 ging der Falkenstein durch Verkauf in
den Besitz des Fabrikdirektors Max Roth
aus Düsseldorf und am 24. April 1924 an
den Buchdruckereibesitzer Wilhelm Girar
det aus Essen über. Dieser behielt den Fal
kenstein bis Anfang der sechziger Jahre
Anschließend erfolgten in kürzeren Abstän
den mehrere Besitzwechsel.

Im Jahr 1988 ging das Burghotel auf dem
Falkenstein nebst der Ruine in den Besitz
der Familie Schlachter von der Schloß
angeralp über. Nach gründlichen Reno
vierungsarbeiten am Burghotel zählt heute
der Falkenstein wieder zu den beliebtesten
Ausflugszielen im Ostallgäu.
Belohnt wird der Wanderer durch den
wunderschönen Rundblick, der dazu bei
trug, König Ludwig II. zur Planung seines
Traumschlosses anzuregen.

Abb. Seite 78
Auf dem Vorplatz des Burghotels mit Burg
ruine.

Abb. Seite 79 oben
Burghotel Falkenstein mit Burgruine und dem
Aggenstein.

Abb. Seite 79 unten
Auf der Terrasse des Burghotels mit Blick auf
Säuling und Zugspitze.

Bildnachweis

Bayerische Verwaltung der staatlichen Schlösser, Gärten und Seen, Museums-abteilung: Seiten 27 – 34, 36 – 41, 43 – 62, 64

Hauptstaatsarchiv München: Seiten 13, 14 / 15, 18 / 19

Schloßverwaltung Neuschwanstein (H. Desing): Seiten 26, 35 oben und unten, 63 rechts

Archiv Gemeinde Pfronten: Seiten 9, 10, 12, 17, 24, 25 oben und unten, 42, 63 oben, 65

Chronik der Gemeinde Pfronten: Seiten 20 rechts, 21 unten

Eberle Otto: Seite 22

Einsiedler Manfred: Seiten 68 links, 69, 79 oben und unten

Orth Vera: Seiten 66, 67, 72 rechts oben und unten, 74, 75, 76, 77, 78

Schlagmann Karl: Seite 17 (4 Wappen)

Archiv Schröppel: Seiten 16, 20 oben, 68 rechts oben, 70, 71, 72 links oben, 73

Literaturnachweis

Baumgartner, Georg: Königliche Träume, Ludwig II. und seine Bauten
München, 1981

Buck, Josef: Das Schloß Falkenstein, in: Allgäuer Geschichtsfreund, IV. Jg.
Kempten, 1891

Dertsch, Richard: Das Füßener hochstiftische Urbar von 1398,
Allgäuer Heimatbücher, 22. Bändchen,
Kempten, 1940

Dörflinger, Robert: Ludwig II., was ihn prägte
Augsburg, 1983

Dollinger, Hans: Bayern, 2000 Jahre in Bildern und Dokumenten
München, 1976

Ettelt, Rudibert: Geschichte der Stadt Füssen, Band I,
Füssen, 1970

Frank, Christian: Der Wohnturm, in: Deutsche Gaue, Band 28,
Kaufbeuren, 1927

Geiger, Otto: Die Urkunden des vormaligen Benediktinerklosters St. Mang in Füssen,
in: Archivalische Zeitschrift des Bay. H.ST. Archiv., III. Beiheft,
München 1932

Guggemos, Georg: Füssen unter den Bischöfen von Augsburg, in: Alt-Füssen,
Füssen, 1978

Guggemos, Georg: Die Verwaltung des Hochstift-Augsburgischen Pflegamtes Füssen
in: Heimatchronik für den Kreis Füssen, Nr. 200, 16. XII. 1966

Haff, Karl: Die Wildbannverleihung unter Kaiser Heinrich III. und IV. an die Bischöfe
von Augsburg und Brixen und die Paßhut,
in: Zeitschrift der Savigny-Stiftung für Rechtsgeschichte, neunundsechzigster Band,
Weimar, 1952

Heiserer, Karl: Zur Besitzgeschichte der Herren von Schwangau und ihrer Nachfolger
in der Herrschaft Hohenschwangau, in: Alt-Füssen, Jg. 1984,
Füssen, 1984

Holzner, Ludwig: Geschichte der Gemeinde Pfronten,
Pfronten, 1956

Kester, Friedl: Der Falkenstein,
München, 1904

Petzet, Michael: Stadt und Lks. Füssen – Falkenstein, Gemeinde Pfronten,
in: Bayerische Kunstdenkmale, VIII,
München, 1960

Petzet, Michael – Neumeister, Werner: Die Welt des Bayerischen Märchenkönigs
München, 1980

Rall, Hans – Petzet, Michael: Aus Bayerischen Schlössern
München, 1977

Rall, Hans – Petzet, Michael: König Ludwig II.
München, 1980

Richter, Werner: Ludwig II., König von Bayern
Erlenbach, 1939

Rieblinger, Josef: Nochmals das Schloß Falkenstein,
in: Allgäuer Geschichtsfreund, VII. Jg.,
Kempten, 1894

Riedmüller, Kornelius: Die Burg Falkenstein, in: Schönere Heimat, 73. Jg., Heft 2,
München 1984

Rump, Hans-Uwe: Füssen, in: Histor. Atlas von Bayern, Teil Schwaben, Heft 9,
München, 1977

Schlagmann, Karl: Die Augsburger Bischofssiegel in Füssen,
in: Jahrbuch des Vereins für Augsburger Bistumsgeschichte, 18. Jg.,
Augsburg, 1985

Schnell-Dürrast, Angelika: Ein ewig Rätsel …
Herrsching, 1981

Schober, Richard: Alte Straßenbauprojekte rund um das Stilfser Joch,
in: Tiroler Heimatblätter,
Innsbruck, 3 / 1976

Schröppel, An.: Die Mariengrotte am Falkenstein,
in: Begegnung Nr. 18, Pfarrbrief der Gemeinde St. Nikolaus,
Pfronten, 1977

Steichele, Anton: Geschichte der Pfarrei Pfronten,
in: Archiv für Pastoral-Conferenzen, III. Band, 3. Heft,
Augsburg, 1852

Stolz, Otto: Wie ist das Außerfern zu Tirol gekommen?
in: Außerferner Heimatbuch, Schlernschrift Nr. 111,
Innsbruck, 1955

Widmann, Werner A.: Bayern, Bilderbogen der bayerischen Geschichte
München, 1980